中谷 昇

超入門　デジタルセキュリティ

JN053011

講談社＋α新書

まえがき

いま、日本の犯罪検挙数が減少の一途を辿っているのをご存じだろうか。

二〇〇二年に、警察が把握した犯罪の件数は約二八五万件だったのが、二〇二〇年には約六一万件となった。新型コロナウイルスの外出自粛によって犯罪が減ったという要素もあるが、八割近くも減少しているのである。

他方で、サイバー犯罪は急増している。同期間で見ると、〇二年に約一六〇〇件から、二〇年の約九八〇〇件と増加している。サイバー犯罪は申告されにくい傾向があるので、私の体感としても、発生件数はもっと多いと感じている。

実際、最近は銀行強盗が発生したというニュースを聞くことはほぼなくなったと思う。

その一方で、「サイバー銀行強盗」とも言えるようなもっと大きいスケールの銀行強盗がサイバー空間で起きている。

二〇一六年に起きたニューヨーク連邦準備銀行にあるバングラデシュ中央銀行の口座か

ら現金八一〇〇万ドル（約九七億円）が消えた事件がその典型例である。

簡単に言えば、ＳＷＩＦＴシステム（世界の金融機関で使われるメッセージングシステム）がサイバー犯罪者に狙われた。盗まれた現金は、フィリピン、マニラの複数の銀行口座に送金され、その多くはマニラのカジノで浄化されたと言われている。

ちなみに、バングラデシュ中央銀行以外でも、ＳＷＩＦＴ加盟銀行を狙った国際的なサイバー攻撃は続いている。

サイバー犯罪とは、デジタル化が進む社会から、個人や企業、政府機関の重要なデータを奪うものである。

私たち個人のデータも容赦なく狙われる。

スマートフォンには大量のデータが蓄積され、知らぬ間にサイバー空間に記録されている。そうした個人のプライベートなデータは、怪しい電子メールやＳＭＳ（ショートメッセージサービス）などでウイルスに感染して、いつ犯罪者に盗まれてもおかしくない状況にある。

こうしたコンピューターウイルスは、まさに新型コロナウイルス感染症のように「感染」を拡大させていく。

自分が媒介することもあり、個人の一回の操作や過ちが、電話帳にある連絡先にまで影響を及ぼし、想像もしない事態につながる。

おそろしいのは、インターネットの世界で起きる被害は、個人の行動が直接、私たちの生活を支えるインフラや軍事にまで広がっていく可能性があるということだ。

さらにＳＮＳ（ソーシャルネットワークサービス）では、フェイクニュースだけでなく、ディスインフォメーション（大衆を欺くための虚偽情報）も生活に浸透し、スマホやパソコンなどから私たちの意識の中にも入り込んでくる。そうなると日常生活において、正常な判断に支障をきたすことになる。

身近な例を挙げると、ビジネスパーソンなら会社の外で仕事をすることは少なくないだろう。たとえば公共の場所やホテルでのWi-Fiの利用は、かなり警戒が必要だ。

ホテルのWi-Fiに接続してログインをした後に、一見するとスマホやパソコンにインストールされているソフトウェアの正規のアップデートであっても、誤ってダウンロードするとマルウェア（ウィルスなどの不正なプログラム）に感染してしまうことも現実に起きている。

こうしたケースは企業のエグゼクティブや政府高官の利用頻度が高い高級ホテルであっても例外ではない。

私がナンバー2として率いたインターポール（国際刑事警察機構）では、日本を含むアジアを中心に展開されていた、高級ホテルでビジネスパーソンや政府関係者を狙ったサイバー工作である「ダークホテル」について、セキュリティ企業と共同で分析を行い、警鐘を鳴らしたこともある。

いま、世界中でデジタル化・ネットワーク化が進み、DX（デジタルトランスフォーメーション）が重要視される時代になっている。

公共機関も民間企業もデジタル化が謳われる中で、それがデラックス（これも〝DX〟）なIT投資というだけで終わらないようにしなければいけない。

さらにDX時代にデジタルセキュリティ対策を十分にせずにデジタル化を進めると、国外の企業や政府にデータを盗まれてしまう現実があるので要注意である。

インターネット空間がここ数年、加速度的に公共空間化し、社会のインフラとなった現状では、こうしたデジタル分野をめぐる緊張関係が、国際情勢にも暗い影を落としている。

中国の電子機器大手ファーウェイの安全性について、米中が激しく対立したのはその典型である。そんな状況の中で、韓国のハイテク大手サムスンが、スマホ市場などで漁夫の利を得るなど、デジタルをめぐる国際的な経済活動で、生き馬の目を抜く競争が続けられている。

そんな情勢のなかで日本はどう戦っていくべきなのか。

本書では、インターポールのサイバー総局で総局長を務めた私が、生活に密接につながるデジタル社会の実態と、国際情勢の中でのデータをめぐる主導権争い、そして日本がどうこの時代を生き抜いていくべきなのかについて、「超入門」的予備知識として、知ってもらうべくまとめた。

デジタル世界がこれまで以上に実社会と融合している昨今、本書が、そんなデジタル時代において、デジタル世界で生きるしか術のない私たちの必読本となれば幸いである。

超入門　デジタルセキュリティ／目次

第一章　デジタルセキュリティ　何が問題なのか

第二章　世界のデジタルデータ勢力図と日本

第三章　日本に迫るサイバー危機
デジタルセキュリティの現在地

第五章　ハイテクニカル・デジタルデータ覇権

第一章　デジタルセキュリティ　何が問題なのか

データは漏洩ではなく「盗まれている」

今、世界では「データ」というものが国際情勢において鍵になっている。

だが、日本人はまだそれに気が付いていない。鈍感、そう言わざるを得ない。

私たちがインターネットを使ったり、スマートフォンのアプリなどを使うと、行動がすべて数値化され、データ化される。データは、そこからさらに分析されていく。

そうしたデータは現在すでに、国家の安全保障でも、民間企業の広告やイーコマースでも利用されている。その目的はいろいろだが、私たちの想像を超えて、これまで以上に国家の政策やビジネスの基盤になっていることに、日本人はあまりピンと来ていないのではないだろうか。

私は、データが私たちの生活に多大なる影響を与えている現実について、これまでいろんなところで言い続けてきた。最近になって、とくにデータにまつわるセキュリティなどの問題が表面化するようになってきたと感じている。

ちなみに、サイバー攻撃で情報が不正にアクセスされて持ち去られた場合、データというのは企業や政府機関から「漏れている」のではなく、盗まれているのだということをわかってほしい。

企業はセキュリティ対策で入り口に鍵をかけているが、それでも侵入されて情報を盗まれる。それは漏れたのではないのである。それも理解すべきことだろう。

ビッグデータを支配するものとは

日々膨大なデータを蓄積しているデジタルプラットフォーム事業者が今以上に影響力を増してくることになる。プラットフォーム事業者とは、ＧＡＦＡ（グーグル、アップル、フェイスブック〈メタに社名変更〉、アマゾン・ドット・コム）などである。

では、そうしたプラットフォーム事業者は、どう私たちのデータを守っていけるのだろうか。

最大のポイントとなるのは、ユーザーがどこにいるか、である。

現在、ユーザーがいる場所で情報が保存され、その地域で税金が課される方向に向かっている。最近、世界的に問題になってきたデジタル税がまさにそれだ。ＧＡＦＡにからんで大きなニュースになっているのは周知の通りである。

そういう意味で考えると、ネットのユーザーが多い国、つまりデータが多く集まる国は、「データ強国」として強い国になっていくことになる。

実世界はゼロサム・ゲームであると言っていい。

たとえば紛争で領土を取り合うなら、領土を獲得することが「プラス1」で、取られた側は「マイナス1」とゼロサムになる。

しかし、サイバーの世界では、自国以外の国でデータを扱うサービスを提供し、そこにデータセンターをどんどん作っていくことで、より多くの情報が作られる。

そうなると、そうしたセンターのあるところでデータの収集ができる。

というのも、データを保存するサーバーは、いくつも大量に作ることができるからだ。

新たなサイバー空間、つまり「領域」が作られていくのである。

実世界の統治と、サイバー空間での統治は別物となっていく。そこにはゼロサム・ゲームはない。

次世代の移動通信技術である5Gなどで、これまで以上に莫大なデータを集められるようになると、各地でサーバーができていき、ビッグデータが作られていく。そうすることによって、ビッグデータ処理をできるところだけが勝ち残ることになる。

たくさんあるデータを整理して、人間が読めるようにする。それを分析できるようにして、活用方法を示していく必要がある。

データをもっているだけでは仕方がない。きちんと活用できるのは限られた能力のある国と、限られた企業しかなくなっていく。それゆえに大手プラットフォーマーなどに情報が集約されることになる。

世界を見渡せばＧＡＦＡということになるし、日本なら、ヤフーや楽天などがそうだと言えるだろう。

個人データのセキュリティ

日本ではデジタル庁が二〇二一年九月にスタートした。

デジタル庁は、各地に暮らす日本人の情報を管理してきた自治体のデータの形式を共通化・標準化して活用できるようにする。そこでデータを保存しておくサーバーが必要になるのだが、デジタル庁は二〇二一年一〇月二六日、米アマゾン・ウェブ・サービスの「Amazon Web Services（ＡＷＳ）」と、米グーグルの「Google Cloud Platform（ＧＣＰ）」を採択すると発表した。

また、情報管理やデジタルセキュリティに関連して大きく報道された無料メッセージングアプリのＬＩＮＥのトークのデータは、二〇二一年六月までにすべてのデータを日本のサーバーに移管した。

結果、「データが国内にあるので安心」と感じるのが一般的な感覚であり、それは利用者の多い日本人にとっては、心理的に非常に大事なことだろう。

個人データについて語る際に大事になるポイントは、本質的に二つある。

一つは、個人情報保護の問題。とくに日本国外のライバル国などから日本のユーザーデータへアクセスされる際には、きちんと利用者に説明する必要がある。

個人のデータは個人情報保護法により保護され、無闇に国外などでデータにアクセスされるべきではない。現実には曖昧な部分もあるが、そうはいっても、たとえば、政府による民間データへのアクセスのハードルが低い中国のような国で日本人の多数が使うサービスのデータがアクセスされるようなことは決してあってはならない。

海外にデータを置いたらその国の法令による保護しかなされない。海外のデータセンターを使うと所在国の法令が適用されるので、日本国内での保護水準より低いレベルの法的保護しか与えられないという問題が生じる可能性がある。

最悪の場合、データセンター所在地国の政府によりデータへのアクセスが現地法令に基づき行われる場合もあるので、海外に保管している機密データや日本ユーザーの個人情報については日本で管理する必要性が増している。

仮に海外所在の企業から日本のサーバーにアクセスすることが業務上必要な場合は、包括的なアクセス権限を与えるのではなく、アクセス権限をその都度確認するなどのセキュリティプロセスを確立する必要がある。

経済安全保障

そして二つ目は、経済安全保障の問題である。データは「二一世紀の石油」と言われるように、データが〝戦略物資〟になったデジタル社会においては、ユーザー情報をユーザーがいる国に保管するのは、経済安全保障の観点からも重要なことだ。

そもそも日本のユーザーデータにライバル国の企業などがアクセスできるというのは国家・国民の安全のためにも大丈夫なのか、ということになる。日本国民のデータ、位置情報や通信履歴などの機微な情報までも他国の政府が知ることができるのなら、それが悪用されてしまう可能性は排除できない。

これはデータをどこに保管し、どこからアクセスするかという問題でもある。たとえば日本人のデータが保管されている国が、二〇一一年にＡＰＥＣが合意したデータの扱いをきちんと管理できているＣＢＰＲ（Cross Border Privacy Rules＝越境プライバシールールシステム）認証の枠組みに入っていれば、外形標準ではひとまず合格と言えるだろう。

こうした懸念は、最近になって政治的にも問題視されるようになっている。二〇二〇年に日本政府の国家安全保障局（ＮＳＳ）に、経済安全保障を担う経済班が誕生した。ＮＳＳは、安倍晋三政権がアメリカの国家安全保障会議（ＮＳＣ）に倣って立ち上げた日本版の国家安全保障局（日本版ＮＳＣ）を補佐するための事務局として、内閣官房に置かれている。

これまでユーザー情報を含めた民間データの扱いが安全保障の問題になるという認識は日本にはなかったので、非常に大きな進歩である。

経済安全保障とは、経済と安全保障とが一緒になって国家の脅威になっていることを指す。日本の企業が行っている経済活動は、国外の関係者による企業に対する妨害工作や、買収やサイバー攻撃などによる企業の知的財産が盗まれる産業スパイ行為、ライバル国などからの干渉行為によって、ダメージを受ける。その結果、企業のみならず国家経済も疲

図１　経済安全保障

米中激突の地政学
経済の安全保障化
ジオ
テクノロジー
Microsoft
aws
Google Cloud
HUAWEI
Alibaba.com
ZTE
sensetime
● NIST SP 800 - 53
● FedRAMP
「何を選択するか」の決断は
企業のパフォーマンスに大きな影響を与える

弊して、国力低下など国家の安全保障上の重大事につながっていき、経済安全保障上の脅威となるのだ。

大量のユーザーを含むデジタルデータが国家の安全保障において大事だという点には、早々とアメリカや中国、イギリス、イスラエルなどが気付いており、経済安保の対策を実施している。

デジタル庁への期待

こうした懸念が高まるなかで、日本では二〇二一年九月に、デジタル庁が発足した。

日本政府のデータ活用のデジタル化を促すために内閣に設置され、首相がそのトップを務め、その直属としてデジタル大臣が仕切っていく組織である。職員数約六〇〇人、うち民間採用が約二〇〇人という構成でスタートしたが、スタート前から、事務方トップである要職「デジタル監」の人事が錯綜したことで話題にもなった。

デジタル庁は、これまで各自治体が管理してきた住民のデータの管理システムを標準化・共通化した上でクラウドで管理することで、情報共有と活用による行政活動を行えるようにする方針を進めている。

ただ標準化・共通化するとなると、そこがサイバー攻撃の標的となりやすくなるので、高度なセキュリティ対策と組み合わせないと危険になる。狙われて入り込まれたりすれば、すべてのデータが盗まれてしまうことになりかねない。

便利なぶん、当然リスクも伴うわけである。

行政のデジタル化の進展に伴い、新たに使用する情報通信機器やソフトウェアなどがどんどん導入されることになる。これが新たな脆弱性になる。

そこで重要になるのは、「デジタルトランスフォーメーション」と「サイバーセキュリティ」の同時推進である。この点は、二〇二一年九月に発表された政府の「サイバーセキュリティ戦略」では、「DX with Cybersecurity」と謳っているので、これをいかに実践するかがポイントとなるだろう。

このデジタルトランスフォーメーションとサイバーセキュリティを、インフラの設計時に一緒に構築していくというのは非常に重要で、まずシステムを作ってからサイバーセキュリティ対策をしていくというのでは、もはや成り立たなくなっている。「セキュリティ・バイ・デザイン」というコンセプトを、文字どおり実践することが重要だ。たとえば、機器やシステムを調達する際にはサイバーセキュリティの足切り基準を設けて、セキユリティに不安の残る機器を安価だからといって購入しないようにする取り決めなども含まれる。

産業育成を担う経済産業省においても、デジタルトランスフォーメーションとサイバーセキュリティの同時進行を推進しており、官民が一体となってDX with Cybersecurityをデジタル復興の柱の一つとして進めていくリーダーシップをデジタル庁に期待したい。

日本の現状

いま、サイバー空間が、グローバルコモンズ（公共空間）になっていることは自明であるが、それにもかかわらず、じつは現在のところ、そこで活動を行う際のルールが曖昧であることが最大の問題である。そしてこの問題は国際的なもので、日本だけで解決できないのが厄介な点だ。

諜報活動、つまりインテリジェンス活動の観点から見ると、残念ながらスパイ防止法などがない日本はなんでもＯＫの「インテリジェンス特区」になってしまっている。

サイバー攻撃で情報を盗もうとする「サイバースパイ」や、サイバー空間を使った国際的な犯罪組織がごちゃごちゃになって日本のサイバー空間で活動しているイメージである。

世界の先進国では稀な「特区」になってしまっている。世界第三位の経済大国でありながら、日本は自国のサイバー空間における経済社会活動を守るためのインテリジェンス活動が弱すぎると痛感する。危機感すら覚えている。

ここで言うインテリジェンス活動とは、サイバー攻撃によって経済安全保障的に被害を受ける可能性や、その兆候をとらえることでもある。日本が直面しているサイバー上の脅威を知るための情報収集、分析、評価を行う活動が十分ではないのだ。

こうしたなかで、日本政府においては最近、サイバーセキュリティ対策でいくつか動きがあった。

政府の次期サイバーセキュリティ戦略の方針では、はじめてサイバー攻撃の脅威対象国として、中国、ロシア、北朝鮮を名指ししたことが話題になった。

警察庁は二〇二二年にサイバー局を新設し、関東管区警察局にサイバー直轄隊を設置すると発表した。これは、警察庁に事件捜査の権限がなく、都道府県警察が実際の犯罪捜査を行うことになっている現行の警察制度に対する大きな変更である。警察庁サイバー局が新設された後には、サイバー犯罪捜査の司令塔として、全国の警察からサイバー犯罪捜査官を集めてサイバー犯罪対策を国主導で行っていくことが期待されている。

また防衛省は、自衛隊におけるサイバー関連人材を一〇〇〇人以上の規模に拡大する。このように、徐々にではあるが、犯罪捜査や安全保障、経済安全保障などへの対策が強化されていく可能性を示している。ただ、まだ諸外国と比べると遅々としている感は否めず、いま以上に積極的にサイバー空間で活動できるよう、法制度の改正も含めて対策は進めていく必要があるだろう。

さらなる強固なセキュリティを

現在、デジタル庁が地方自治体の共通デジタル基盤として、全国規模のクラウド移行に向けて、地方公共団体の情報システムの統一・標準化に向けて動いている。この将来のガバメントクラウドについては、サイバーセキュリティやカウンター・インテリジェンスの観点からも、強固なセキュリティ対策がなされる必要がある。

二〇二一年一〇月に岸田文雄《きしだふみお》首相が誕生し、経済安全保障はこれまで以上に重視される流れだ。

経済安全保障相が設置され、すでに述べたNSSの経済班も、その大臣の下で活動することになった。また経済安全保障室も設置し、法整備を行っていくと見られており、経済安全保障相を補佐していく。

これからどう日本政府がこの分野で対策を講じていくのかは、大きな注目だ。重要なのは、サイバーセキュリティやデータ保護、機密情報や知的財産の保全へのしっかりとした対策が企業活動の必須条件であると認識することだ。

国際情勢においては、サイバー空間こそがもっとも昨今の地政学的緊張の影響を受けている。アメリカと中国の対立を見ればそれは明白で、中国からのサイバー攻撃などの脅威の増大は、日本では、「いまそこにある危機」である。

中国のみならず、ロシアや北朝鮮からも日本はサイバー攻撃を受けており、アメリカなど西側の価値観を共有する国々を狙ったイランなどからのサイバー攻撃で日本の大学が被害に遭うケースもある。

セキュリティ対策のための規格設定

サイバー空間は、デジタル機器の集合体で構成されていることが前提である。その観点から、どこの国の製品やサービスを使うのかということ自体が、サイバーセキュリティの強度に影響する。

そういう意味では、サイバーセキュリティ対策を施している機器をしっかりと選択して使うことも必要だろう。そのための「水準」というのが、アメリカにはある。

たとえば、「Special Publication 800-171」である。米国では、ＮＩＳＴ（米国標準技術研究所）による、「Special Publication 800-171」というガイドラインが二〇一八年一月から広く導入されている。

これは米政府が中国電子機器企業から製品を調達しない理由にもなっている。

この「NIST SP 800-171」では、基本的に、「保全が必要な情報（Controlled Unclassified Information＝ＣＵＩ）」を扱う場合に、企業が遵守すべきセキュリティ基準を設けている。

ＣＵＩとは、「機密扱いではないが、適用法や規制、政府の政策に沿って、保護したり、広く知れ渡るのを抑制する必要がある情報」のことを指している。極秘の機密情報ではないが取り扱いに注意が必要な情報のことを言い、社会保障番号や住所、健康情報や金融関連の情報などが含まれる。

さらに、ここに挙げた細かな情報が集まり、それをまとめることで機密情報となってしまうケースもある。

米国防総省は二〇一七年末までに、同省と取り引きをする企業すべてにこの「ＮＩＳＴ」を遵守するよう義務化した。

それができなければ、契約解除をするとも警告したのである。しかも、国防総省と直に契約している企業やその下請け業者だけではなく、政府のデータに触れる企業すべてに適用されることになっている。

アメリカの連邦政府のシステムの外で、民間企業などがＣＵＩを記録したり、利用する際には、このガイドラインに従う必要がある。それが標準規格になっており、これはたとえば米軍事企業とビジネスのつながりがある日本企業にも当てはまり、この基準の導入を求められている企業もある。

だが、この規格をさらに広く日本にも取り入れていくことで、経済安全保障などで保守が必要になる日本の情報を保護するための厳しいガイドラインともなりうる。

デジタル庁がこれから国や地方公共団体の情報システムの連携を強化していく際には、この「NIST SP 800-171」の元になっている「NIST SP 800-53」というアメリカ政府機関向けのサイバーセキュリティ基準と同等の水準を設ける必要があると感じている。

「NIST SP 800-53」では、たとえば、次のようなセキュリティ措置について具体的に定めている。

「権限を与えられた人たちのみにアクセスを許可すること」
「組織内のコミュニケーションをコントロール・監視すること」
「ファイルのアクセス期限」
「データの移動と保存における暗号化」
「多元的認証が必要」

こうした細かい決まり事が必須になるほど、現実には日本のデータや情報も攻撃にさらされ、情報流出などの脅威に直面している。

内閣サイバーセキュリティセンター

日本は、政府の情報システムにクラウドを活用している。先に述べたように、デジタル庁も、アマゾンのクラウドサービスであるＡＷＳとグーグルのＧＣＰを導入する。

そうした政府系のクラウド利用には、二〇二〇年に、日本のサイバーセキュリティの司令塔といわれるＮＩＳＣ（内閣サイバーセキュリティセンター）の内閣官房情報通信技術（ＩＴ）総合戦略室と総務省、経済産業省が連携して、「政府情報システムのためのセキュリティ評価制度」（通称：ＩＳＭＡＰ）を立ち上げている。

ＮＩＳＣによれば、

「統一的なセキュリティ要求基準に基づき安全性が評価されたクラウドサービスについてはＩＳＭＡＰクラウドサービスリストの追加登録を行い、政府機関におけるＩＳＭＡＰの利用を推進していくとともに、本制度の運用状況を踏まえ、当該基準等について見直しを行います」

という。

ＩＳＭＡＰは基本的に、国際標準等を踏まえてセキュリティ基準を策定し、それに基づいて政府関係機関のクラウド利用で基準が適切に実施されているかを第三者が監査する。そこで基準を満たしている企業をリスト化し、政府機関は原則として「ＩＳＭＡＰクラウドサービスリスト」に掲載された企業から政府調達を行う。

とにかく、すべてがデジタル化され、どんどんデータが生み出されていくなかで、こうした規制も不可欠となる。

すでにアメリカを拠点としたサプライチェーンにおいては、こうした水準に満たない企業が取引に参加できない、あるいは既存のサプライチェーン内の取引から排除されることも起こりはじめていることを認識する必要がある。とくにクラウドが今後もどんどん活用され、重要視されるのは世界的な潮流であり、NISCが進める取り組みとして正しい方向に向かっていると感じる。

いまはまだ経済安全保障の視点から見た脅威が迫っているという自覚がない企業が日本には多いが、こうした基準を標準化することで、データセキュリティ意識も変わっていくだろう。

セキュリティに不安のある国と商取引するビジネスマンの心得

現在のデータ社会においては、取引をする相手国によってはビジネスマンでも警戒をしなければならない時代だと言える。

たとえば、そうした国にいるビジネス相手からのメールも、サイバー攻撃者がなりすましで送信してきているケースがあるので警戒が必要だ。

また、ビジネスに関係する人物であるように装ってメールなどを送ってきて、そこに添付されたファイルを開いてしまうとマルウェア（ウイルスなどの不正なプログラム）に感染してしまう、といったケースは、現実に大きな問題になっている。

さらに、そうした国にある子会社や関連企業のセキュリティ対策が不十分な場合もあるので、そのあたりは警戒を怠らないほうがいいだろう。

セキュリティに不安のある国に渡航して、ビジネスで商談をする際はさらに警戒が必要だ。ここでは、私が実際にインターポールでも実践していた方法を紹介しよう。

まず、そうした国への出張では、自分が日本でふだんから使っているパソコンやスマートフォンは持っていくべきではない。

その出張専用のデバイスを持っていく。

そうすることで、出張先で個人情報を収集される可能性を回避したり、感染した可能性があるマルウェアを持ち帰ってしまう危険性はなくなる。

また、ホテルなど出張先の滞在場所では、ホテルのWi-Fiは無防備のまま使うべきではない。少なくとも、VPN（仮想プライベートネットワーク）を使うこと。そうしないと第三者に情報が抜かれてしまう可能性がある。

これらは「サイバーダイエット」とでも呼ぶべきだろう。セキュリティが不安な国へは必要のない脂肪は削ぎ落としてから入国すべきである。

そして気をつけるべき行動もある。

街の中を歩きながら、観光気分で無闇に写真を撮らないこと。ビジネスマンであっても、何らかの理由で当局に捕まってスマホを見せることになったら、「機密の場所の写真を撮った」と問題になってしまうかもしれないからだ。大げさではなく、スパイ容疑がかけられる可能性もある。

顔認証技術の現在地

データが非常に重要になっている世界で、データ活用の世界的な議論には顔認証技術もある。

私がインターポールのサイバー部門でトップをしていた当時、本部のあるシンガポールに暮らしていた。シンガポールは、ＡＩによる顔認証技術に力を入れている国としてもよく知られている。

当局は顔認証技術で、空港や街角で、指名手配のような当局が探している人物がいないかを常に調べている。もっとも、蓄積されたデータを使って、顔認証を活用しているのはイギリスの首都ロンドンも同じ。世界的にも数多くの監視カメラが設置されていると知られている。

そうした技術の裏には、データを蓄積するノウハウを持った民間の企業が関わっている。アメリカのＩＴ大手であるマイクロソフトやアマゾンも、非常に優れた顔認証技術を持っている。

そして、アメリカでは警察にその技術が販売され、実際に捜査の現場でも使われるようになっていた。

しかし、顔認証システムが誤認するケースが起きるなど、捜査に使われる際に顔認証技術の精度が十分にあるのかどうかといった反発が一般社会からも起きるようになった。

結局、こうした批判が高まったことで、ＩＴ企業側は、警察には顔認証技術を提供しないことになった。たしかに、インターネットやサイバー空間で、治安のためという名目でさまざまな情報を見ることができるようになると、治安保持や捜査活動以外の目的で使われる可能性も否定はできない。そこを国民が警戒するのも理解できる。

近年、デジタルデータの扱いというのは、それほどセンシティブなものになっているということだ。

日本ではどうか。

日本のＮＥＣも顔認証のシステムを世界的にプロモーションし、海外市場でも評価される技術を作り上げている。ＮＩＳＴによる顔認証精度評価で何度も一位を獲得している。

私は警察出身だが、警察時代から電脳（デジタル・サイバー）捜査をどこまでやるべきかという問題は、絶えず議論になってきた。

これは、完全にプライバシーのトレードオフ（二律背反）だと言える。

つまり、顔認証技術では、安全が得られるぶん、プライバシーが失われる可能性がある。

国民の安全を守るのか、自由やプライバシーを優先するのか――いま、世界的に、それが問われている。

日本では新宿・歌舞伎町の街頭の監視カメラが話題になったり、駅のホームで顔認証技術を導入していたという話が報じられ、そのたびにプライバシーを侵害する国民監視であると懸念する声が上がる。果たしてそうか。

日本は、安全とプライバシー、どちらを優先するのか。当然、平時と有事では異なってくるはずである。現時点で、日本ではまだきちんとした議論も進んでいない。どっちつかずの状況が続いていると言えよう。

ただ、この議論をすることなく、セキュリティの話はもはやできなくなってきている。どういう方針に舵を切っていくのか、きちんとしたビジョンを国として見せていく時が来ているのではないだろうか。

スマホの安全性

さて、読者にとって身近な話題にも触れたい。

スマートフォンの普及率は目を見張るものがある。スマホより前に使われていた携帯電話、つまり「ガラケー」という言葉もほとんど聞かなくなった。

スマートフォンでは多種多様なサービスを提供するアプリが利用でき、過去になかったほどの便利さをユーザーは享受している。

その一方で、スマホの便利さの裏では、そこに蓄積されるデータの扱いが大きな議論になっている。

二〇一五年にアメリカのカリフォルニア州サンバーナーディーノで起きた銃乱射事件では、犯人がイスラム過激派組織と関連があるのかが問題となり、犯人がイスラム過激派とスマホでやりとりしていたのかどうかが焦点になった。

ＦＢＩ（米連邦捜査局）がスマホを調べようとしたが、犯人の使っていたiPhoneはプライバシー保護が強固な作りになっており、犯人だけが知るパスワードが入力されない限り、スマホの中身を見ることはできなかった。

裁判所から許可を得て、ＦＢＩはアップル社にスマホのロック解除を要求したが、アップル社ですら、プライバシー保護のセキュリティが強固なために解除できないということになった。大きな議論になったケースだが、結局、ＦＢＩは当時、イスラエルの民間セキュリティ企業に要請して、多額の料金を払ってiPhoneのロックを解除したという。

この話で興味深いのは、アップル社ができないと言っているスマホのロック解除を、別の民間企業が解除できてしまったことだ。

しかし、世界的に見れば、捜査でデータを分析する必要がある場合には、当局はそうした「ハッキング」技術も利用しようとする。

たとえば、ドイツでは、犯罪捜査で容疑者のＰＣやスマホに監視ソフトを送り込むことができる。

つまり、情報をとるために、容疑者のスマホなどに遠隔で侵入できるバックドア（裏口）を作ることもできるのである。

ちなみに、ドイツ連邦警察出身でいまのインターポールの事務総長であるユルゲン・ストック氏は、連邦警察副長官時代に、こうしたサイバー犯罪捜査技術の開発を担当していた。

ドイツ国内でこうしたやり方に反発が出ないのは、法律できちんと定められ、裁判所の許可も必要で、プライバシーの侵害を最小限に抑えているからだ。国民の理解を得られていると言える。

こうした活動は、技術力のある国であれば、どこでもやっている可能性が高い。もちろん、あとはどこまで国内の憲法や法律でそれを許すか、というのが問題になる。

ただそんなドイツでも、きちんと手続きを経ていないものには批判が起きる。デンマーク当局がアメリカのＮＳＡ（国家安全保障局）に協力して、国外に外遊に出た際のドイツ政府要人らへの盗聴を手助けしていたことが明らかになり、そちらは非合法だったので大きな問題になったのはその一例だ。

日本では、スマホに外からアクセスするような捜査は難しい。ドイツのようにハッキングをしたり、マルウェアを作ったサイバー攻撃などを行うと違法捜査になる。憲法で保障された通信の秘密を犯すことになるからだ。また、通信傍受はできても、コンピューターに侵入していくような行為も禁じられている。

スマホと言えば、日本で大人気の無料メッセージングアプリ「ＬＩＮＥ」やスマホ決済アプリ、グーグルマップなど、ユーザーの個人データが飛び交うアプリが数多く利用できる。アプリの提供側では、そうしたデータへのアクセスについては極めて厳重に定められているが、私たちの生活に密接につながり、利用者の依存度もますます高まっているスマホに集まるデータの安全性は、今後さらに検討を続けていくことが不可欠だ。

日本では、じつは犯罪の件数自体は減っている。

二〇二〇年に六一万件ほどの事件が報告されているが、二〇〇二年は約二八五万件もあった。要するに、実社会で犯罪は減っており、その分がサイバー空間で増えているということだと考えられている。

サイバー空間では、メールだけでなく、スマホのＳＭＳ（ショートメッセージサービス）で架空の請求が届いたり、偽の宅配情報といったメッセージが届く事例が広く報じられている。しかも手口は巧妙化しており、本物そっくりのウェブサイトを周到に用意しているものもある。そうした詐欺メッセージには、クレジットカードのパスワードを入力させるようなものや、ＵＲＬをタッチすると個人情報が盗まれてしまうといった種類のものもある。

日本は世界的に見るとかなり裕福な国なので、国境のないサイバー空間では犯罪のターゲットになりやすいと認識しておく必要がある。

明らかに日本人が書いたものではない稚拙な日本語で詐欺メッセージが来ても、疑わずにリンクをタッチしてしまう人は少なからずいる。こういう現実を知らないと、国外から日本人を狙うサイバー犯罪者のカモになってしまうので、注意が必要だ。

スマホなどデータが集まる場所に、犯罪者が目をつけるのは当然である。だからこそ、スマホのデータの取り扱いと合わせて、データを守るためにセキュリティ意識を高めていく必要があると言えるのだ。

第二章　世界のデジタルデータ勢力図と日本

米中の違い

サイバーセキュリティに注目が集まる昨今。日本におけるサイバー犯罪との戦いの黎明期から、私は警察官僚として携わってきた。近年、サイバーセキュリティの重要性が広く社会で共有されるようになったことは感慨深い。

サイバー空間で守るべき大事なものの一つがデータである。そしてそのデータを世界的に支配していると言えるのが、米中である。

データの扱いにおいて、アメリカと中国の一番の違いは何か。

米中はどちらもデータを収集しているが、中国はアメリカができないようなかたちでデータ収集を行っている。

中国ではいま、コミュニケーションアプリ「WeChat」がもっとも人気で、多くの国民に使われている。日本で言えばＬＩＮＥのような存在で、そのユーザー数は一二億人を超える。大手ＩＴ企業のテンセントの提供するサービスで、コミュニケーションから、決済アプリ、身分証明などとしても活用されている。

中国では都市部を中心に、ほとんどの支払いがこうしたスマホアプリで行われ、大道芸人へのチップすらスマホ決済で行われるほどだ。公共事業の支払いからローンの支払いなどもできる。新型コロナの健康状態を提示する証明書にも使われた。

そうしたコミュニケーションなどのデータは、テンセントのサーバーに集められる。ちなみに、この「WeChat」上でやり取りされるメッセージは、中国当局の要請に従ってモニター、つまり検閲できるよう暗号化されない状態で特定のサーバーを通じて配信されているのが現状である。

他方、世界的に最も広く使用されているメッセージアプリである「WhatsApp」や日本で最も多くのユーザーに利用されているＬＩＮＥにおいては、エンドツーエンド（ユーザー同士のやりとり）の暗号化がなされている。面白いのは、WhatsAppの類似サービスといえるフェイスブックが提供する「Messenger」や「Instagram」においてはエンドツーエンドの暗号は未だ実装されていない。最近の報道によれば二〇二三年ごろになると言われている。

また、中国では第三者からメッセージを見られないように対策できるＶＰＮ（仮想プライベートネットワーク）のサービスも禁止されている。とはいえ、中国政府はＶＰＮの使用を禁止してはいない。ただ、使えるサービスは、中国政府がＯＫしたものだけなのである。

言うなれば、アメリカの飛行機に乗るときに使われている「TSAロック」と同じであり、空港のカウンターで荷物を預けるが、セキュリティチェックで荷物を開けることができるように、TSAの鍵が使われる。

個人データはどうやって監視されるのか

アメリカでは、アップル社製のiPhoneなどのメッセージングアプリや、フェイスブックのWhatsAppなどのコミュニケーションツールは、エンドツーエンドで暗号化されている。

つまり、現実的に政府もそれを読むことはできない。民主主義の価値観に基づきプライバシーを重視するアメリカでは、法令の縛りがキツいなかでインテリジェンス活動（情報収集活動）を行っている。他方、中国のような国では、政府が大量のデータに容易にアクセスできるよう、法制度が整備されている。

必然的に、米中では政府によるデータアクセスの手法が異なってくる。

たとえば、アメリカでは国内のサーバーを経由する「外国人」の情報はすべて監視できることになっている。

目的は、安全保障上で対象となる人物が誰とどのようなコミュニケーションを、どのくらいの頻度で行っているのかを知るためである。そして、データが送受信される際の記録である「メタデータ」（データの情報）の記録を入手している。

米政府などによって「要注意」と見なされた人物は、情報収集・分析の対象になる。そうすることで当該人物が国の安全保障に有害なのか無害なのかを判定する。情報機関から見れば、そういう人物の中に「使える人物」がいないかを判断することもある。

結局、有害と見なされれば、「叩く」方向でオペレーションが行われる。使えるとなれば、「協力者」にしていく。

これを非常にシステマチック（体系的）に実行しているのだ。これは大国といわれる国ならどの国でもやっていることだ。

そして協力者にするなら、その標的に応じたアプローチを行う。

情報機関として誰かを「協力者」にしていく際には、相手の弱みや関心事項を突っついていく。ワインが好きな人なら、ワインに関連のある方法でアプローチが来る。「ロマネコンティを安く買える」という偽メールを送れば、そういう人なら削除せず開いてしまう可能性もあり、偽リンクを張っておけばクリックしてマルウェア（悪意のある不正プログラム）に感染させられてしまうのである。

こういう工作は日常的に世界中で行われており、現在はサイバー空間からのアプローチが最初に来ることが多い。

宅配製品に仕掛けが

米中のどちらともが、国家安全保障上の理由で、データ監視をしているのは周知の事実である。

アメリカのやり方で興味深いと思ったのは、ターゲットの人物が特定の民間企業の作った製品を購入するためのオーダーを傍受することによって、宅配で配送される途中にその製品を押収し、開封して製品を取り出し、そこにマルウェアなどを埋め込んで、また元通りに梱包して相手に配送するということをやっていた。こうした事実は、元NSA（米国家安全保障局）・元CIA職員で内部告発を行ったエドワード・スノーデン氏が明らかにしている。そうしてターゲットが包装を開けて機器を設置すると、そのマルウェアがデータをアメリカ側に自動で送ってくるようになる。

こういう作戦をアメリカがやっていると知った中国は、それと同じようなことをはじめている。ただ中国の場合、配送過程ではなく、製造過程でバックドアが埋め込まれるという大きな違いがあるようだ。

スノーデンの暴露

世界最強国家のアメリカが、世界でどんなサイバー攻撃を行っているのかを暴露したスノーデン氏。スノーデン氏がメディアに登場して機密情報を次々と明らかにした事件が起きた二〇一三年、私はインターポール（ＩＮＴＥＲＰＯＬ＝国際刑事警察機構）のサイバー部門であるＩＧＣＩ（INTERPOL Global Complex for Innovation、インターポールがサイバー犯罪対策の拠点としてシンガポールに設置した機関）の総局長を務めていた。

まさにシンガポールでＩＧＣＩの本部の建物を建築しているそのときに、サイバーセキュリティ業界を揺るがすようなその事件が起きたのである。

スノーデン氏の事件は大変なニュースだった。

米軍の傘下にあるＮＳＡが世界規模の監視プログラムを構築し、世界中からデータを入手していた。

さらにイギリスのＧＣＨＱ（政府通信本部）も世界のインターネットをつないでいる光ファイバー網を盗聴していた、という事実が明らかになった。

ＮＳＡもＧＣＨＱも情報機関として、シギント（シグナル・インテリジェンス＝通信や電磁波などを傍受する諜報活動）を行い、情報を収集している。近年、情報機関も光通信でつながったインターネットを監視して諜報活動を行っているため、ＮＳＡやＧＣＨＱの存在感は以前より高まっている。

スノーデン氏の暴露で明らかになったのは、米大手ＩＴ企業であるグーグルやマイクロソフトなどがＮＳＡによってバックドアを仕掛けられたか、自らＮＳＡに協力していた企業もあったという事例だった。

このころ、インターポールは、シンガポールでＩＧＣＩ本部の建設工事を行っていた。その本部に導入するサイバーセキュリティのためのソフトウェアなども、どのようなものを導入しようかと厳しく検討することになった。さらに、機器のセキュリティをどのようにするのかについても協議しており、たとえば、大手ＩＴ企業の通信機器などにバックドアをつけられてしまったらすべて筒抜けだというような議論を、スノーデン氏の暴露が再確認させてくれた。

中国のサイバーインテリジェンス

中国の諜報活動については、二〇一八年になってやっと報道で広く知られることになった。同年一月三〇日付のフランスＡＦＰ通信は、

「中国政府がアフリカ連合（ＡＵ）に対してスパイ活動を行っていると仏紙ルモンド（Ｌｅ Ｍｏｎｄｅ）が先週報じた」

とし、

「ルモンド紙が匿名の複数のＡＵ関係者の話として報じたところによると、エチオピアの首都アディスアベバにあるＡＵ本部の技術者らが昨年、コンピューターに保存されていた情報が二〇一二年以降、定期的に中国・上海にあるサーバー上にコピーされていたことを発見した」

と報じている。

ＡＵ本部はアフリカとの友好の印として中国による出資で建設されているが、中国のＡＵ大使であるクアン・ウェイリン氏は「報道は扇情的で、非常識でばかげている」と非難したという。

中国側が自国製の通信機器を通じて情報を密かに傍受しているのではないかという疑惑は、私がインターポールにいた当時からインテリジェンスやサイバーセキュリティ専門家の間では話題になっていた。日本ではまだピンときていない人が多いとも感じるが、各国が情報通信を傍受するのは世界では決して珍しくはない。政治大国、経済大国であればむしろ当然やっている政府活動の一つであると言っても過言ではない。よって、中国が自国の安全保障上の必要性から通信傍受をしていても何らおかしいことではない。要は、そのスケール感に我々が気づいているかということだ。

この話題が出た当時、前述したようにインターポールのＩＧＣＩ本部が建設中であった。事務局内では、インターポールのサイバー犯罪対策の拠点に建設時からバックドアが埋め込まれていたという不名誉なことにならないよう、警戒心が一気に高まったのを記憶している。しかも、スノーデン氏の暴露が起きたばかりだったことで、米当局も通信傍受についてピリピリしていたため、アメリカにアドバイスを求めるわけにもいかなかった。

そうしていると、インターポール内部から、このＡＵの報道は本当なのか、という議論も出てきた。

情報のソースはフランスの情報機関と言われていたが、当時はまだ各国の情報機関がインターポールなどの国際警察機関に直接情報をもたらすような関係はなかった。

情報機関というのは独特の世界で活動してきた歴史があり、どうしても閉鎖的な側面がある。しかしこれ以降、サイバーセキュリティの分野ではとくに、情報機関との距離が近くなったのである。

シンガポールでの建設の話題に話を戻すが、建物の中に盗聴器が仕込まれたりすると困るため、工事に関わる建設労働者をとにかく厳しくチェックするようシンガポール政府に要請をした。工事現場の人たちをスクリーニングしたり、変なものを持ち込んでいないか調べるために持ち物チェックをし、夜間も警備を厳重にしてもらった。

ＩＧＣＩの創設を通じて実感したのは、建物を作ること自体がサイバーセキュリティそのものなのだ、ということである。サイバーセキュリティは、古典的に言えばサイバー空間を守ることなのだが、そのサイバー空間は、実空間にあるパソコンやルーター、サーバー、モバイル機器などによって構築されるものなので、その選択如何によって安全性が変わってくる。

二〇一三年当時は、これからＩｏＴ（モノのインターネット）の時代が来ると言われはじめた最中で、さまざまな電気通信機器がネットワークにつながるため、ＩｏＴ機器を通じて内部を見られたり聞かれたりする懸念が議論されていた。

それだけに、警戒の温度感は高かった。

国際機関に人材を常に送り込む

インターポールから見た世界は、日本から見る世界と違っていた。さまざまな国際機関が大国間の国際的な権力争いの舞台になっていることもよくわかった。

インターポールでは、サイバー分野でも、加盟国同士の思惑がぶつかり合って緊張関係が生まれることもあった。

たとえば、現在、インターポールのサイバー部門には日本からの出向者もほとんどいなくなった。これは非常に大きな問題であり、早急に改善する必要がある。サイバーや気候変動など多国間協議が増えてくる現状の国際政治において、国際機関の事務局に日本の存在感を維持できなくなるような「空白」を作ってはいけない。空いたポジションに継続的に人を送り込むために政府を挙げて優先方針を確認する必要がある。

実際、インターポールのサイバーセキュリティ分野では、各国の警察機関から出向してくるスタッフが自国の利害に沿って「あれをやりたい」「これをやりたい」と政策決定のプロセスに口を挟んでいる。建て前としては、事務総局に入る際に中立的に働くという宣誓文にサインをするのだが、本国の意向に反する言動をする派遣者は見たことがない。私は総局長としてこうした各国の要望への対応を行っていたが、すごく大変な仕事だった。

多くの場合、加盟国がインターポールに提供する犯罪者データにアクセスしたい国があっても、国によっては特定の国に情報を共有したくない場合があるので、そうした国との間に立ち、情報共有の範囲を広げる調整をしていく必要がある。

インターポールにはとにかく情報が集まった。そして、インターポールに出向してくる面々は、それぞれ自国のためにどんな国益で動いているのかをリアルに知ることができた。情報の共有と交換を基に犯罪捜査支援プロジェクトを組成するので、データの全部が共有できない場合には一部に限って共有可能としてもらう調整は年中行事であった。そして日本人も、そうした人たちの中で勝負する必要がある。

日本の発言力は大きい

国際機関の多くは、世界各国からの分担金で運営がまかなわれている場合が多い。

インターポールの予算も加盟国の分担金と、任意の拠出金（要するに寄付）で成り立っている。たとえば二〇二〇年は分担金が合わせて六〇〇〇万ユーロで、任意の拠出金（セカンドメント〔出向スタッフ〕の人件費を含む）が七六〇〇万ユーロ。合わせて一億三六〇〇万ユーロ（約一七〇億円）がインターポールの総予算となっている。日本は加盟国の中で二番目に多く支払っている。

この予算への貢献度、支払額の多さがインターポールの中での発言力の強さにつながっていく。

二〇二〇年に最大の分担金を支払った国はアメリカ。次いで日本、ドイツ、フランス、イギリス、イタリア、中国と続く。日本の負担額は二〇二〇年が約六五〇万ユーロ（日本円に換算すると八億一二五〇万円程度）という規模なので、日本の負担割合は総額約六〇〇万ユーロの一一パーセント程度となる。

日本の拠出金の多さを戦略的な優位性に転換するため、国際機関に派遣されている日本人職員はそれ相応のはっきりとした発言をしていく必要がある。私がインターポールにいた時も、日本が世界第二位の分担金負担国であったことが、事務総局内における私の発言にもそれなりにプラスの影響力を与えたと思っている。

他の国際機関で言えば、ユネスコ（ＵＮＥＳＣＯ）のケースがいい例だ。

世界遺産や記憶遺産などの選定を行う機関であり、時に歴史的な紛争で、その認定などをめぐって大きな問題になることがある。日本はユネスコに金銭的にかなりの貢献をしており、その内訳は、最大の負担金を払っている中国が全体の一五・四パーセント、次いで日本が一一パーセント。ドイツ（七・八パーセント）、イギリス（五・八パーセント）、フランス（五・七パーセント）と続く。

つまり、日本はもっと強気に、自分たちの国益を追求して、強い主張をしてもいいし、その権利があると改めて自覚するのが重要だ。自国の国益に見合わないと考えれば、時には拠出金を止めるという意思を見せながらでも影響力を行使すべきだ。

国際機関での競争力を削ぐ日本の「減点方式」

いま、国際機関のトップを見ると、日本人はほとんどいなくなってしまった。

現在では、世界税関機構（WCO）の事務総局長である御厨《みくりや》邦雄《くにお》氏と、万国郵便連合（UPU）の国際事務局長である目時《めとき》政彦《まさひこ》氏の二人くらいである。

ここまで述べてきたとおり、トップのポジションに日本人がいなくなることは、日本の国際機関における存在感の低下につながることを意味する。

霞が関の減点型の評価制度が、国際機関で上層部に上り詰めるのにプラスに働いていないことはたしかだ。

評論家などの中には、減点方式によって、官僚の出世競争において、何か失敗をすれば減点され、それが評価基準になってしまっており、良い傾向ではないと指摘する向きもある。優れた業績を実現したからではなく、失敗をしなかったことが評価されるのでは、積極的な事業も出てきにくいというのである。まさにそのとおりだ。

加点式で出世していく、という発想に変えていかないと国際社会では致命的なマイナスポイントになってしまう。日本型の人事制度はガラパゴスで国際的には通用しないとの認識を持つことはきわめて重要である。

減点方式では、重要ポストはあくまで「待って、その後にもらう」ものであり、「是が非でも取りに行く」ものではない。

また、日本社会では往々にして、メリットを見ないで、デメリットが少ないほうを見ようとする傾向がある。

海外なら、

「私のビジョンはこれだ！」

「私がトップになったら一年目でこれを実行する、その後は、こんなプランがある」「私をサポートしてくれればこういったメリットがある」

となるものである。

国際舞台では、そういうかたちで積極的に各国の関係者らに働きかけを行うことで、自分自身や自国についてアピールしていくものだ。事なかれ主義の減点方式では自分たちの利益を主張できなくなってしまう。

利害関係がからんだ重要事項はランチで決まる

あまり知られていないが、国際機関で日常的に行われているのは、人脈を作って、自国の味方を作っていくことである。

地道な作業であり、かつ社交的にもならないといけない。しかし、それを続けると、どんどん有益な情報などが集まってくるようになる。

さらに言うと、国際機関の意思決定というのは、じつは職場における仲間内のグループの延長で決まることも少なくない。

要するに、ふだんオフィスで行われるような会議以外の場所で重要な事項が決まることが少なくないのだ。仲間内（インナー・グループ）で食事会やホームパーティなどを行い、そういう場でフランクに意見交換したり、雑談をすることによって、ものごとの方向性が決まっていくこともある。ふだんからコミュニケーションを積極的にとって、その仲間内に入っていないと、意思決定プロセスにおいて影響力が行使できなくなるということである。

会議で「私は彼に賛成です」と、付加価値のない意見しか言わない人間は時間を取るだけ無駄だと思われてしまい、意思決定に重要となる仲間内の集まりにも呼ばれなくなっていく。自分の存在価値を示すには、ふだんから積極的に発言をして組織の意思決定に貢献し、影響力のあるグループの仲間に入っていかないといけない。

誤解を恐れずに言うと、それぞれの担当部門の正式な会議は、すでにインナーでの議論で決まったことを議事録に載せるためのプロセスのようなもの。物事を自分に有利なように決めたり、日本が利害に沿った主張を押し通すには、事前にいろいろな人のところで根回しをして、決定していく。

「根回しをする」というと日本式のように聞こえるが、日本のように儀式としての根回しではなく、かなり白熱した本音の議論を戦わせるのが実情である。なので、三〇分で終わるという感じではなく、きちんとわかり合うには数日かかることも珍しくない。むろん、国際舞台では会議内でもドラマはあるが、会議外での本音のコミュニケーションがかなり重要になるのである。

よく日本人は、飲みながらコミュニケーションを取る特異な文化があるというような言われかたをする。だがそれは国際機関においても同じだ。

違いは、居酒屋ではなく、週末のホームパーティやゴルフ、仕事終わりにバーに寄ったりして、方向性を調整したり、すり合わせをやる。日常的にそういうことが行われているのである。

インターポールでは、ランチやコーヒーブレイクが長い。それは、そこで実際の政策などを進めるためのさまざまな調整をやっているからなのだ。決して、ぼーっと休憩をしているわけではないのである。

デジタルセキュリティとはほど遠い次元のコミュニケーションかもしれないが、アナログとデジタルが融合することが大切なのだろう。

国交がなくてもセキュリティ情報を得る

国連の機関は、その位置する地域によって役割が分けられている。たとえば、刑事・司法はオーストリアのウィーンが拠点となる。人権関連の国連機関はスイスのジュネーブが拠点で、軍縮関係はニューヨーク、というふうに大まかに分けられている。

国際機関を自国の味方につけることの効果は非常に大きい。効果の一つは、国にとっての権威付けだ。国際機関がサポートしてくれるというのは、国際的な交渉などにおいても有効である。

また、国としては表立って言いにくいことを、国際機関を通じて主張することもできる。当事者の二国間で言い合うと、角が立つこともあるし、下手をしたら国際摩擦に発展することだってあるが、国際機関をクッションにすることで、新たなルールを提案するなどして、他の国も巻き込んで問題を解決していくこともできる。

国際機関をうまく使いこなすことが自国の利益のためになるのである。

中東のイランについて話そう。

アメリカの大手ＳＮＳ企業のサービスは、イランでも使われている。イラン国内を狙ったテロリストも使っている。

イランとしては、犯罪対策のためにそうしたテロリストたちのＳＮＳでの活動について目を光らせており、テロ対策という観点から他国と情報を共有している。データなどもほしい。

もちろんアメリカのテロ対策を担う当局などもそういうテロリストたちについて把握しているが、アメリカにはイランへの制裁などの外交面での事情で、イランに協力してはいけないという法律がある。もちろん国交もない。

ただ国際的なテロ対策においては、そうした二国間の揉め事も越えなければいけない時もある。

そこで国際機関のインターポールの出番である。

国交のない国をつなげるのも仕事の一つだからだ。

どうするのか？　まずインターポールがイランから情報の提供を受ける。インターポールの担当者はその情報を整理、分析し、インターポールの犯罪捜査支援プロジェクトの活動の一環として、事務総局から米大手ＳＮＳ企業に質問などを行う。その後に、米大手Ｓ

NS企業からインターポールが回答を受け取って、それをイランに提供するのである。こうすることで、当時は関係国の顔を立てながらも、国際テロ対策を前に進めることができた。

いまはサイバー犯罪などにおいてもこうした枠組みでの協力がなされている。そこには国境どころか、国交の有無も関係ないのだ。

インターポール総裁失踪

二〇〇〇年代後半は、国際機関にとっては「春」だったと言っていい。

二〇〇八年にはリーマンショックが起きたが、中国はかなり思い切った財政措置を実施して世界経済の回復を後押ししたこともあり、国際協調の気運が高まった。その結果、世界の経済も回復。国際的な協力体制を強化することによって、世界が困難を克服し、社会も安定する——そういう希望をみんなが共有していた。国ごとの主張は違うが、それでもともにハードルを越えながらやっていこうという雰囲気があった。

ところが二〇一二年ごろからその流れが変わり始めた。前述したとおり、二〇一三年に、元CIA職員のエドワード・スノーデン氏による米機密情報の暴露があり、アメリカがサイバー空間において大規模な監視を行なっていることが明らかになって多くの国に衝撃を与えた。中国もそのうちの一つだった。

誤解のないように付言すると、どの国家も自国・自国民を守るために最善を果たす義務を負っており、デジタル時代にはサイバー空間で監視活動を行うのはある意味、合目的的である。説明責任が問題だった。

最近、世界的に中国にあらゆる力が移りつつあると言われるが、現実には、経済発展や技術発展の基盤をどうサイバー空間で支配するかという陣取り合戦が起きている。

現在の覇権争いで、もはやリスクの高い軍事的な挑発行動は起きないだろう。その代わりにサイバー空間で戦いが続いているのである。経済安全保障が国家的な重要事項になるのは必然である。

そうした中で、中国公安省の次官であった孟宏偉《もうこうい》氏が二〇一六年にインターポールの総裁に就任した。孟氏は、総裁として中国の一帯一路政策に関してインターポールと覚書を交わし、またサイバー犯罪対策をデジタルシルクロードの一環として進めていた。しかし、二〇一八年に中国に帰国して行方不明になった。

そして二〇二〇年に、中国天津市の第一中級人民法院が、収賄罪で孟氏に実刑判決を言い渡している。

一緒に働いていたことのある現役のインターポール総裁であった孟宏偉氏が、フランスから中国に帰国した際に北京空港で身柄を拘束されてから、インターポール事務総局と直接連絡を取ることができなくなったのはやはり個人的にも衝撃だった。

孟氏は中国公安において国際的な感覚に優れた人物であり、また犯罪捜査のデジタル化を進めるなど中国のデジタル強国の施策を実践していたように思えたが、どうやら中国国内での権力闘争に巻き込まれた流れで失脚してしまったと見られている。

対ロシアから対中国へ

私は二〇〇七年から一八年までインターポールに勤務した。繰り返しになるが、二〇〇〇年代後半は国際機関にとって「春」の時代だった。

国単位でいざこざがあっても、自然とまとまってしまうという印象だった。トゲトゲしい国益の主張が退いた、という印象だった。結果的に国際的に協調ができているという感じだった。

この流れを変えたのは、二〇一四年のロシアによるクリミア侵攻だった。これにより米国やNATO諸国とロシアが久々に本格的に揉め出した。

さらに二〇一六年の米大統領選ではロシアによるサイバー攻撃での選挙干渉が明らかになり、米露は緊張関係に入った。

当たり前だが、二〇一六年の米大統領選へのロシアによる介入は国際的に大きな懸念となった。ロシアの情報機関が、サイバー攻撃で米民主党全国委員会のサーバーに入り込んで、ロシアが与し易いと見ていたドナルド・トランプ氏に有利になるように電子メールなどのセキュリティデータを盗み出して、インターネット上で公開したからである。

また、ソーシャルネットワークを利用し、フェイスブックやツイッターなどにトランプ氏が有利になるようなフェイクニュースをばらまいたことも状況を悪化させた。

その規模は想像を絶するもので、私を含めて国際機関に勤務経験のある人たちにとっても驚きだった。

この件以降、ロシアに対する国際的な反発も強くなった。

だがそれ以上にアメリカを刺激したのは、二〇一七年に中国で施行された国家情報法とサイバーセキュリティ法であった。

ここから完全にアメリカのデジタルセキュリティ戦略は、対ロシアから対中シフトにな

った と言えるだろう。アメリカは二〇一八年には「国防権限法2019」を定め、それ以降、アメリカのナンバーワンのターゲットは中国になった。

とくに、二〇二一年六月に「国家安全に影響を与えるデータ活動に対して安全審査を行う」と明記されたデータセキュリティ法が定められ、中国国外の企業にも適応することができるようになった。

こうした中国の動きは協調的というより、一方的に法律を定めて国外にも適用するという帝国主義的なものであり、アメリカをはじめとした民主主義国家は警戒を高めている状況である。

米政権交代の影響

国際機関において、二〇一六年後半あたりから各国間の合意形成に時間がかかる、時としてまとまらないことが起こりはじめた。時を同じくしてアメリカでトランプ政権が発足。歴代政権と比べて、米官僚組織内に高官人事の欠員数が多く、結果として米政府の動きが硬直的になったような時期もあった。

私の感覚では、二〇一七年以降、米中は完全に対立という構図になっていた。さらには米露の関係も改善していなかったので、そうした背景から、国際機関の世界では中国とロシアが接近して蜜月となっているイメージになった。

こうした流れで何がもたらされたのか。国際機関の議案などでも、アメリカのリーダーシップが見えなくなる一方で、中露による反対の影響力もあり、いろいろなことが決まらなくなった。

国際機関にいた立場からすれば、トランプ大統領の出現でアメリカは自国第一主義になったため、アメリカのリーダーシップ不在の国際政治で中国が結果的に影響力を増し、スーパーパワーとして台頭する結果をもたらしたと言えるかもしれない。

国際機関的には、他国を助けますという利他的な国でないと他国から支持は得られない。

これまでのアメリカがそうだったが、トランプ時代はそうではなくなった。自国利益を追求すると、国際機関のトップを決めるような選挙でも票は集まらない。弱くなる。

国際機関でありがちな「ODAでカネをばら撒くと、選挙に強くなる」というのはそういうことだ。

縦割りではなくトップダウンの一体型社会システムに

日本ではサイバーセキュリティの話になると、メインは総務省や経産省ということになる。情報通信分野を管轄する総務省と、産業政策を広く担当する経済産業省といった政策官庁である。もちろん、情報通信産業がデジタルセキュリティと密接な分野であり、デジタル経済社会における通信や産業政策についても大きな役割を果たすので、当然と言える。だが海外では、デジタルセキュリティを担う政府機関はこうした政策官庁だけではない。

インターポール時代に見てきた諸外国では、こうしたセキュリティ分野の予算規模で存在感が大きかったのは、軍と情報機関であった。そして捜査機関、そこから産業政策の機関が出てくる。日本とは逆の構造に見えた。

ここで重要なのは、デジタルセキュリティについては、デジタル安全保障の「トリクルダウン」によるエコシステムを構築できているか、である。トリクルダウンとは、大企業などを優遇する政策で経済活動を活性化させることで、富が中低所得者層に向かって流れ落ち、国民全体の利益になるという考え方だが、それはデジタルセキュリティにも当てはまる。

何兆円とつぎ込む安全保障や軍におけるトップレベルのセキュリティシステムやサービスを、少しグレードを落として警察当局などが利用していく。

その延長線上に、民間も利用しながら、国をあげてサイバー攻撃の脅威を排除していく体制を構築することが必要になる。

それが日本という国全体のサイバー防衛能力を向上する対策につながっていくメカニズムになる。

国家の機関や民間企業を疲弊させ、国力をも衰退させてしまうサイバー攻撃だけに、デジタルセキュリティというテーマには、国家として対応していかなければならない。

たとえば衛星画像では、軍が使うような一センチ単位の精度の画像ではなく、少し解像度を落としたかたちでグーグルマップなどの日常生活向けに提供されるなど、軍事技術をベースにしたエコシステムが一定程度構築されている。

日本のデジタル社会を守るためには、そうした安全保障のトリクルダウンという感覚も意識して、デジタルセキュリティの政策立案に向かって行くべきだろう。

第三章

日本に迫るサイバー危機　デジタルセキュリティの現在地

利便性向上にセキュリティは追いついているのか

日本のサイバーセキュリティは大丈夫だろうか。

世界的に見ても、日本はサイバー犯罪などで狙われやすい。世界第三の経済大国であり、民間企業は安定したインターネットインフラを享受しながらネットワーク化したビジネス環境の中でスムーズにビジネスが行える。

これは逆の立場からとらえれば、攻撃する側も、通信インフラなどで大したストレスを感じることなく、犯行を実施できるということになる。

二〇二一年九月に創設されたデジタル庁は、行政のデジタルトランスフォーメーションを進めるために中央省庁と地方自治体のＩＴシステムの刷新を抜本的に進めることになった。相互接続が可能となる形式で各種の情報をデジタル化して、全国的な行政ネットワークにより国と地方、そして、地方と地方との間で、バラバラでつながっていなかった行政データを連携し、活用できるようになっていきそうだ。

全国の役所などでデータが出し入れできることになれば、何かと煩雑な窓口手続きなどが簡便化され、日本社会はますます便利になっていくだろう。

行政データのユーザーである国民の利便性が高まることは歓迎すべきではあるが、一方で、そうした便利さには、安全に、安心して使えるという、セキュリティ上の最低限の条件が必要になるのは言うまでもない。

ところが、現在の日本ではまだその点が心許ない。その理由の一つは、国のデジタルセキュリティ関連の法制度が、現在の国際的な水準からするとガラパゴス状態になっているからだ。

ＪＡＸＡ攻撃で中国のサイバー部隊を特定

すでに脅威の対象として挙げた、中国などからのサイバー攻撃は、ありとあらゆる手を駆使して行われ、企業や個人の情報が狙われている現実がある。

サイバー攻撃が発生した際に、日本で最初に「被害」に対応するのは捜査を担う警察である。

私の古巣だからいうわけではないが、日本の警察も何もしていないわけではない。むしろ、手足が縛られている現行法のなかで、相当がんばっていると思う。

二〇二一年四月、警視庁は、ＪＡＸＡ（宇宙航空研究開発機構）や防衛関連企業が二〇

一六年にサイバー攻撃を受けた事件をめぐって、史上はじめて「中国人民解放軍の指示を受けたハッカー集団によるものだ」とサイバー攻撃の発信源（アトリビューション）を特定して、中国共産党員の男性を犯人と名指しして書類送検した。

この一件は、日本の警察にとっては大きな成果だったと言える。

ただこのＪＡＸＡのケースも、報道などによれば、ラッキーな部分もあった。というのも、攻撃で使われた通信の一部が、暗号化されていないところがあったからだ。そこから攻撃者につながる情報を把握できたのである。

とはいえ、捜査においては運も実力のうちだ。

この攻撃に関わったのが中国人民解放軍のサイバー部隊として知られている六一四一九部隊であると、政府の官房長官が記者会見ではっきりと言及するというのは、いまだかつてなかったことである。長年サイバー犯罪対策に関わってきた者として、感慨深いものがある。

大事なことは、こうした捜査活動を続けることだ。アトリビューションの特定を続けること。それが抑止力になっていく。ただ、ＪＡＸＡのケースのようにラッキーな事案は続かないことも肝に銘じなければならない。

自衛隊のサイバーセキュリティ対応の限界

アトリビューションの把握を続けるためには、現行の法制度を変えなければいけない。日本にはサイバー攻撃への対処において足枷になっている法律があるからだ。

たとえば、ドイツの法執行機関のように容疑者を監視するためのプログラムを作ることは「不正指令電磁的記録に関する罪（いわゆる「コンピュータ・ウイルスに関する罪」）」に抵触する。

また、他人のスマホやパソコンに入り込む行為も、日本国憲法第二一条の定める「通信の秘密」の保護を犯すことになるために基本的にできない。

では日本を国外の敵から守る存在である防衛省・自衛隊は何をしているのか。

自衛隊のデジタルセキュリティを担うのは、サイバー防衛隊。彼らは法令上、自衛隊・防衛省を海外のサイバー攻撃から守ることを任務にしており、個別のサイバー攻撃から国民を直接的に守ることは想定していない。しかし、自衛隊の本質的な役割は、自衛隊・防衛省を守ることではなく広く日本国民や日本のインフラを守ることであり、それは専守防衛の理念下で十分可能なはずだ。最終的には反撃能力や抑制的な攻撃能力を持つべきだと筆者個人としては考えている。だがそれよりもいまは、サイバー空間で悪意のある「パケット（データ）」のミサイルが日本を目がけて毎秒ビシビシと飛んできている現状に対処するために、まずは日本のサイバー防衛システムの構築を進めていかなければならない。

もちろん日本で起きるサイバー攻撃に対して、すべて自衛隊で対処するのは難しい。そこで、警察が一緒になってデジタルセキュリティを担っていく。国内外からの攻撃者は、徹底して捜査して、摘発する。攻撃元が海外であれば、国際的な捜査支援機関であるインターポールなども含めて、海外の捜査機関と共同して捜査していくことが重要である。

すでにハッカーにはセキュリティを破る能力がある

いま、日本では、ある地方自治体が攻撃にあって住民データが盗まれたとしても、その被害が原因となってインターネット経由で他の自治体や中央省庁のデータが巻き添えになることはない。攻撃を受けた自治体だけに被害が止まることがほとんどだ。

だが将来、地方自治体のデータがガバメントクラウド上で、これまでつながっていなかった自治体間でデータのやりとりができるようになっていくのである。

新型コロナのワクチンの接種に関してなら、接種情報の閲覧や新規予約などがオンラインで可能になり、必要に応じて日本中どこでもその情報にアクセスできるというかたちになる。それによって、スムーズな接種が促進され、国民のセーフティネットが確立していくのはもちろん喜ばしいことである。

ただこうした機微な情報を扱うネットワークがサイバー攻撃を受けたら、ワクチン接種どころの話ではなくなる。サイバー攻撃によって、接種情報が何者かに勝手に書き換えられたらどうなるのか。

そうなると人命にも関わる。さらには国民のデータがごっそりと盗まれることだって考えられる。日本のデジタルセキュリティが崩壊してしまうのだ。

じつはこうした大がかりな工作についても、サイバー攻撃者やハッカーたちはやろうと思えば実現できる能力をすでにもっている。

だが、金銭目的のハッカーからすると、あまり儲けにはならない。ところが金銭目的ではなく、国家的なサイバー工作であれば、目的は混乱を生むことだったりするので、そうしたデータベースを攻撃するのは有効な手段となりうるだろう。

サイバー捜査の現状

すでに述べたとおり、憲法上の「通信の秘密」の問題や、不正アクセス禁止法によって、現状では警察の捜査手法は制限されている。

そのため、日本の警察当局は、いまの法制度でのサイバー犯罪捜査では他国と同じような捜査ができない実情がある。

また、警察は諜報活動を行うインテリジェンス機関とは違う。

情報機関は安全保障上の目的を達成するために広範囲の裁量権を与えられて活動をすることができる。

グレーゾーンが広いと言える。

しかし、警察の捜査は裁判で罪状を立証するのに必要な証拠などを集めるために行うものであり、取れる手段には司法上の制約がある。そもそも、違法に収集した証拠は、公判においては証拠として認められないので、仮にハッキングに近いような手段で入手した証拠は、それが事実であっても違法収集証拠として裁判上は無価値になる可能性が大きい。

また、現在のサイバー空間では膨大なデータが日々クラウド上で増加しており、システ

ムや法整備もまだまだ曖昧な部分も残っているので、どこまで調べていいのか、どこから
は手を付けてはいけないのか、判断が難しいところだ。

監視ソフトシステムを活用すべきか

イギリスのガンマ・グループ、イタリアのメメント・ラボ、イスラエルのNSOなどが提供する最先端のスパイウェア（監視ソフトシステム）も、日本での捜査には使えない。

私は、実際にそうしたスパイウェアのメーカーからシステムのデモンストレーションを受けたことがある。とにかくビックリするほど優れたシステムだった。こうしたシステムを多くの国々が利用するなかで日本だけがまったく利用しないとなると、デジタルセキュリティを進めていく上では不利となると思うくらいの性能である。

少し前になるが、日本の当局がそうしたスパイウェアのベータ版（サンプル）をもらったという報道があった。

仮にあったとしても、日本では「通信の秘密」の制限があるので、閉じられた私的空間での実験程度のことしかできなかったのではないだろうか。

世界はサイバー空間を通じてつながっているので、他国の捜査手法を参考にデジタル時

代の犯罪捜査のありかたを見直していく時期に来ている。

誤解のないように明確にしておきたいのは、自国民を対象にした大規模な監視活動（マス・サーベイランス）は論外であるということだ。

決してやってはいけない。あくまで、個別案件に基づいて、司法判断がある場合や、国内ではなく国家安全保障上の必要性に応じて対外的に使うなど、国民の納得が得られる場合を想定している。

警察庁サイバー局を活かすために

二〇二二年に、ついにサイバー局を警察庁の中に創設することになった。警察庁の組織でありながら、法執行もやるという、これまでになかった組織となる。

警察庁が殺人事件のような個別の事件の捜査を直接行うことは、現行の警察法では想定されていない。一九五四年に現行の警察法が施行された当時はまだ戦前・戦中における特別高等警察の記憶が残る中で、直接の捜査権限を持つ国家警察という制度的な枠組みは選択肢になかったのかもしれない。

結果として、米国のＦＢＩ（連邦捜査局）のように国全体に捜査権限を持つ警察機関は日本においてつくられなかったし、いまでも存在していない。あくまで都道府県警察が法を執行し、警察庁は国の行政機関として調整を主たる任務とする立てつけになった。

だが、時代は変わった。サイバーの世界では、それでは捜査にならない。

たとえば中小企業がサイバー攻撃を受け、地元警察に相談しても、小さな警察署ではみんなピンとこないし、きちんと捜査にならない場合もある。サイバー犯罪は年々高度化・複雑化しているからだ。そういう場合に、サイバー局が捜査を担うとなれば、地元警察も企業も助かるはずだ。

そういった観点からすれば、満を持して、国が捜査を行う機関が立ち上がる。

サイバー攻撃には背後に国家がいることも少なくない。サイバー局は、国家を相手にデジタルセキュリティ対策をしていく必要があるが、現実的な課題として、それをやっていく人材はどれほどいるのか。

私はサイバー局誕生のニュースを見て、まず人材を集めることが課題だろうと思った。各県警のエース級を集めるという話で、二〇〇人集めるという。

とはいえ、サイバー犯罪に対する捜査は特殊なので、日本各地の警察署を探しても、適任となる人材はあまりいない。警察だけでそれほどのサイバーエキスパートを集めるのは相当困難なことが予想される。

こういった場合は、官民一体となって人を集めるべきだろう。そして一緒に国のデジタルインフラを守る、という方針を明確にしていくべきだ。

民間との協力は多くの国の捜査機関がやっている。

日本における官民協力は、何か犯罪行為やトラブルが発生してからのことが多い。その前に、インテリジェンスを共有して、リスク低減を進めていくメカニズムは日本にない。アメリカやイギリスのように官民をまたいだセキュリティクリアランス（機密情報を扱う適格性制度）がないので、機微情報の官民連携が進まないという現状もある。

サイバー攻撃を受けた事実（インシデント）の報告義務も、個人情報にからまない限りはない、というのが現実だ。このあたりの法制度を変えていくのは、課題の一つだろう。

警察庁がサイバー局を立ち上げる利点はそこにあるのではないか。リアルな被害情報がどんどん入ってくることになる。

企業は何かサイバー空間で被害が起きた、また、何か起きそうな兆候があるなら、捜査してほしいと要請する。上場企業なら、株主に対しても警察の捜査に協力していると説明できる。

これまでは捜査権が都道府県警察にしかなく、それぞれのキャパシティや能力を考えるとどうしても不安があった。そこにきて「国に協力している」「安全保障の問題になっている」と堂々と説明できるメカニズムが出てくるのは企業にとってもプラスになる。

経済安保に向けた問題点

アメリカでは、ＦＢＩやＮＳＡ（国家安全保障局）が、民間企業とサイバー上の脅威情報の共有をするメカニズムが存在する。外国政府が背後にいるようなサイバー攻撃についてのブリーフィングがインフラ事業者向けにも行われる。もちろん、セキュリティクリアランスによる制限はある。

また、サイバー攻撃などに対処するために国土安全保障省にＣＩＳＡ（サイバーセキュリティ・インフラセキュリティ庁）のような組織もあり、官民協力も公に謳いながら活動を行っている。

サイバーセキュリティは経済安全保障と密接不可分である。日本のみならず、世界各国が中国とは経済的に関係を完全に切り離すことはできなくなっている。日本企業もビジネスを重視すれば、お得意様の中国を排除などできない。

私も、排除する必要まではないだろうと考える。ただし、少なくとも、中国向けのビジネスと、それ以外のアメリカをはじめその他の国でのビジネスのスキームを完全に切り離す必要はある。そこをつなげたり、同じやり方をしていてはこれからはビジネスがしづらくなるばかりだろう。

まさに経済安保という観点が重要になってくるのだ。

日本の官僚が国際的人材になるためには

残念なのは、世界の中で国益のために国際会議をリードし、あるいは国際機関でリーダーシップを取れる官僚を教育していないということだ。日本が世界と伍していく、国際的に他国と渡り合える人材が必要になる。

さもないと、国際機関など、国益が衝突する場においては、日本に有利な条件などを引き出すことはできなくなる。

私自身の経験からも、日本の官僚システムは、国際機関に通用するような人材を育てる仕組みには向いていないと痛感している。過去にはたまたま素晴らしい方が出てきて国際的な舞台で活躍しているが、国として目的を持って育成したというより、個人の資質に大きく依存している面が大きい。

日本は戦後、国連など国際機関に多くの人材を送り込んできた。しかも日本はそれを国際貢献であると考えて、関係省庁などから国際機関に派遣した。

だが本来、国際機関に出向するというのは、国際貢献ではない。国益の実現であるべきなのだ。

そもそも国家公務員というのは、国内にいようが国外にいようが、国益のために働くよう養成されているはずで、「貢献」することだけでは意味をなさないと言える。

たとえば、警察庁がインターポールに職員を派遣するのは、「国際的な捜査協力の実現」のためであるが、最も重要なのは他国に日本が必要とする捜査や犯罪防止などに協力してもらうことである。国際機関に日本の協力者を作っていくことこそが警察庁がインターポールに職員を派遣する理由であり、そういう協力こそが日本の国益にかなう。

しかし霞が関のキャリア制度の中においては、国際機関に優秀な人材が派遣されるような構造がない。

そもそも、英語を使って反論する、自国のポジションについての理解を得る、賛同してもらえるような協力工作を行うといった経験がほぼない。

また、日本の国益のために国際社会に出ていき、上手く立ち回って日本のために協力者を作った職員が、帰国後はそれが活かせないところに配属になったりする。定期的に異動もするので、せっかくの人脈も途切れてしまう。

それでは日本の国益のために戦う国際的な人材は、生まれたとしても育たない。

中韓の台頭

二〇〇三年に私ははじめて、警察官僚としてG8(当時はロシアも入れて八ヵ国の首脳会議だった)専門家会合に出席した。当時、インターネット上などで問題になっていた児童ポルノ犯罪にからんだサイバー空間の問題を協議した。警察庁ではその後もサイバー課に配属になり、その際もまたG8の専門家会合に参加している。

G7やG8の専門家会合のような国際会議に出席すると、世界の現実を垣間見ることができる。

というのも、基本的にG7やG8は、「仲良しクラブ」に他ならない。レベルは違うが国際機関はどこであっても、大きな意味では仲良しクラブだと言っていい。目的を共有しているからだ。しかし、そうは言いつつも、各国が国内情勢を見て、政治的な配慮も介在しながら、国益のためにせめぎ合いを行っており、それぞれの国は当然ながら自国の利益のために職員を派遣している。

だが、残念ながら、日本から派遣される職員は、そうした意識にはなりにくいようだ。国のために働く官僚としての感覚のためか、どうしても内向きになってしまう面がある。

私が二〇〇七年にインターポールに出向したころを振り返っても、当時は国際機関を使って国益を実現するという意識を持っている人は少なかったと言っていい。

最近になってやっと、そういう自国の利益追求という視点で国際機関においてリーダーシップを発揮する官僚が出てきているように思う。日本が国際的に生き残れないと多くの関係者が認識するようになってきたからだと感じる。

その最大の背景には、中国のアグレッシブさがある。

国連には一五の専門機関があるが、現在、「国際連合食糧農業機関（ＦＡＯ）」、「国際電気通信連合（ＩＴＵ）」、「国連工業開発機関（ＵＮＩＤＯ）」の三組織で、中国人がトップを務めている。中国以外に三人以上が国連組織を率いる例はない。

中国は国際機関に入り込んで何をしようとしているのか。

その狙いは、国際的に発言力と影響力を高めていくことであり、それが非常に上手い。

中国は国際機関に人を送り込むのに、外交力を堂々と使い、巧みに人を利用していく。

じつは、韓国もその点は上手い。

最大の目的は、国際機関において意思決定に関与できるようにすること、そしてそのためのポジションを獲得すること、それに尽きる。

中国にしてみれば、わざわざ国際機関に出向いて「雑巾掛け」をしていてもしょうがないと考えている。そしてそういう戦略を実現できるような人材の候補を国内外で徹底して育てている。それが長期的に国益のためになるとはっきりと認識している。

日本も、そういう方針は中国を見習って、各重点分野においては、官僚、研究者を中心に政治家も対象にした育成活動をしなければいけない。

外務省には、海外の日本の大使館に赴任して働く外交官がいるのだが、その活動は国際機関とは別物だ。国際機関にはそれぞれの専門分野があるので、その専門分野でそれなりの知識があって、他国の専門家に一目置いてもらわないと、国際会議や国際機関内部で自国の国益を追求できるほどの発言力も影響力も持てない。比較的新しい分野でもあるサイバーセキュリティにおいてもそれは例外ではない。

国際機関が進める世界的なコンセンサス構築においても、積極的に自国の政策をアピールして「相手にしてもらう」必要がある。

そこでは、具体的な専門性に加えて、日本という国がこれまで築いてきた世界的な「好意的イメージ」を利用するなどして、なんとしても国際機関幹部になることが重要だ。私がインターポールにいた際に、課長、局長、総局長（ナンバー2）と内部の階段を上がるにつれて、相手が発言に耳を傾け、国際機関におけるルール形成のプロセスに影響力を及ぼすことができるようになった。

ポジションによる権限の違いが日本より大きいので、影響力の差異は想像していた以上であった。国際機関の中で国益を追求するためには、まずは幹部ポジションを取ることが前提となる。

「いないのと同じ」とまで言われて

「霞が関」では、ぐるぐると人を異動させて、人事を回していく。そうすると、あらゆる分野をそつなくこなす人材は育つかもしれないが、専門家が育ちにくくなる。ゼネラリストは、いくら肩書があっても海外の国益を懸けた交渉の場などでは迫力感が出てきにくい。

とくにデータを扱い、保全する、デジタルセキュリティ分野では高い専門性が求められるため、霞が関の人事パターンではそういう専門人材はなかなか育たない。最初にインターポールに出向した当初、じつは著者も「霞が関流」で育てられた影響で痛い目にあった。

会議で質問を振られた際に、

「先ほどの彼が言った通りですね」

「彼女に賛成です」

などと当たり障りなく答えていた。霞が関的にはまったく問題のない対応である。協調性があって相手のメンツを立てるナイスガイと思われてもおかしくない。しかしインターポールでは違った。

すると当時の事務総長から会議の後に個別に呼び出されて、

「ノボル、君には意見はないのか？」

と言われる羽目になった。

さらに「周りに合わせるのは相手を尊重するという日本の文化なのは知っているが、私が期待しているのはノボルのオリジナリティのある意見なのだ」と重ねられ、

「どの意見を採用するかを決めるのは私だ。何も意見を言わないのは存在していないことと同じだ」

とまで指摘された。正直、雷に打たれたような衝撃を受けた。日本の良さをしっかり認識しているアメリカ人の事務総長にはっきりと言われたので、ショックは大きかった。

その事務総長からさらに、

「意見を言うことで周囲は君のプロ意識などを認識していくようになる。それができないと仕事すらできないだろう。話すというのは、心を開くことでもある」

とも言われた。

そこから自分の理解者や協力者を作って自分のビジョンを実現していくのだと。

私は幸運だったと思う。こういう指摘を受けたことで、目を覚ますことができた。そこまで言われなければ、霞が関で育った多くの官僚は世界と渡り合っていけないということである。

日本と世界では基準が違う

組織では、その文化の中で評価されないと上のポジションにはいけない。

日本と世界では基準が違う。組織にとって、その職員が役立つ人間かそうでないかは、仕事をしたり、発言しないと、組織の責任者にもわからない。自分から積極的に関与していかないといけない。

さらに言うと、国際機関には自己主張の強い人が多い。

現在、中国は、日本の三倍ほどのＧＤＰがあって、軍事力も断然高い上に、人口も一〇倍くらいいる。そんな隣国とライバル関係にある日本は、アメリカだけでなく、国際社会、国際機関からも協力を得て、自分たちの主張にある意味お墨付きをもらわないと、中国相手に国益を守ることができない状況が迫ってきているのではないか。

それに対応するには、国際的に通用するように、霞が関の官僚の育て方から変えていかないとダメだろう。このままでは、日本は国際社会でのルール形成に関与できないようになってしまう恐れがある。

ただ人材はすぐには育たない。

だからこそ、いますぐにでも動きはじめないといけない。

目標は、ルール形成を担う国際機関において大国とやりとりできる人材が必要だということになる。

経済のためにどう国益を死守するのか

サイバー分野などで日本の存在感を高めて国益にかなうように動くためには、日本はどんどん国際機関でハイランクのポジションを取って、国際的なルールの形成に関与していかなければならない。それが自国の利益になるのだから。

ＷＨＯ（世界保健機関）やＷＴＯ（世界貿易機関）、インターポールなど、いろいろな国際機関があるが、日本は自分たちが強い分野でトップを目指したほうがいい。

では日本の強さは何か。

やはり、経済や文化だろう。

また、安全で安心な国というブランドであろう。

たとえば、インバウンドを強化するのなら、ツーリズム関係の国際機関もありだろう。

そういう戦略的視点から、国際機関を活用してルール形成に関与していかないと、他国に負けてしまう。

とにかく、国際機関で重要ポジションを数多く確保していくようあらゆる策を講じて進めていく必要がある。

それを推し進めるために、日本が各地にもっている政府代表部において、担当する国際機関を調査して、どこのどのポジションを取れば日本の利益になるのかを見極めるのが重要だ。

トップポジションだけでなく、それに続くポジションも重要だ。ナンバー2や3を取ってからトップを狙うという作戦は、多くの国が行っている。要は、戦略的に人材を押し込んでいく。各省庁に任せず、内閣官房や外務省が専門チームを作ってやればいいとも思う。

他国の例を見ると、狙った国際機関に義務的拠出金とは別に多額の任意拠出金（寄付のようなもの）を出して、影響力を高めていく方法もある。直近の例でいうと、二〇二一年一一月のインターポールの年次総会でＵＡＥ（アラブ首長国連邦）の内務省高官が総裁に選ばれたが、ＵＡＥは二〇一七年から五年で約五〇億円の任意拠出を実施して、世界各地域で組織犯罪捜査支援プロジェクトをサポートしている。拠出額は違うが、中国も同じような手法をとっている。

その一方で、どこかの国際機関が自国に不利なことをすれば、拠出金を引き上げて財政的な圧力をかける。一時期のＵＮＥＳＣＯがいい例だろう。そうした断固たる活動をしなければいけないのだ。

いまこそ政治のグローバル化を

国際的には「いい人」というのは褒め言葉ではない。たんに「無害」というだけに過ぎない。相手にしなくていい人ということになる。

中国は国際機関の要職にかなりの人員を送り込んでいる。そういう準備を徹底的にやってきた結果として結実しているのだ。そうして、国際的なプレゼンスを高めているのはすでに述べた通りだ。

もっとも、そうした国際活動を積極的にやっているのは中国だけではない。

先のUAEのように目的があり、余力のある国はまずもってやっている。

このところの内閣への権限強化で、日本は政治のリーダーシップが強くなった。脱官僚の政治が進み、政治主導で国家運営が行われるようになっている。

決して悪いことではない。私が住んでいたフランスやシンガポールはともに政治のリーダーシップが強い国だった。しかし、同時に官僚機構もしっかりと動いていた。とくに、シンガポールでは政府内に若い優秀なスタッフが多くいたように思う。日本もこのあたりは学ぶと良いだろう。

日本語という言語ゆえか日本人のメンタリティゆえかわからないが、日本の政治はグローバル化やデジタル化でかなり遅れている。

スポーツや文化など、いろいろな民間分野が一足先にグローバル化・デジタル化の波を経験して前進している中で、遅れてやってくる政治のグローバル化とデジタル化の成否は今後の日本の将来に関わるものだ。

日本の「デジタル敗戦」

米国や中国などはデジタルデータを使った活動を積極的かつ徹底的に行っていて、それが国家戦略の重要な基盤になっている。しかし日本は、この分野でも立ち遅れている。

こうした状況は「デジタル敗戦」と言われる。デジタル敗戦という言葉は、平井卓也前デジタル大臣がブログで二〇二〇年に使って以来、社会的に定着した感がある。

じつはこのデジタル敗戦というフレーズには個人的な思い入れがある。

というのは、私が日本ＩＴ団体連盟の役員の立場で、二〇二〇年六月に当時自民党デジタル社会推進特別委員長だった平井前大臣にこのフレーズを使って日本のデジタル化の現状を説明をした際、平井前大臣が気に入ってくれて「政治デビュー」を果たしたからである。

平井前大臣のようにルール形成に影響力のある政治家に活用してもらえたのは望外の喜びであった。ちなみに、その際に「デジタル復興」というフレーズも使ったのだが、これはイマイチとなったようである。

「デジタル敗戦」とは、日本のデジタルトランスフォーメーション形成が遅れており、すでに世界に敗れていることを指すのだが、日本政府は、二〇〇一年の段階ですでに、「高度情報通信ネットワーク社会推進戦略本部（ＩＴ戦略本部）」を内閣に作り、「e-Japan戦略」を策定していた。

総務省は当時すでに、

「世界最高水準の高度情報通信ネットワークの形成、教育及び学習の振興並びに人材の育成、電子商取引等の促進、行政の情報化及び公共分野における情報通信技術の活用の推進、高度情報通信ネットワークの安全性及び信頼性の確保」

を掲げていたが、いまだに同じようなことを言っていると、読者の皆さんもお気づきだろう。

新型コロナ禍でも、「特別定額給付金」のオンライン申請がうまく機能せず、感染者との接触を知らせるスマホアプリ「ＣＯＣＯＡ」でも不具合が出て活用できなかったことなど、デジタル分野の弱さを露呈する結果＝デジタル敗戦の典型例になっている。

民間も然り、である。

米デル・テクノロジーズ社が二〇二一年に公開した「第二回 デジタルトランスフォーメーション（ＤＸ）動向調査」によれば、日本においては約九一パーセントの企業で、デジタル化がまだ進んでいないことを明らかにしている。

だからこそ、これから「デジタル復興」をすべきなのである。復興にはまず、敗戦した事実としっかり向き合い、先に進む必要がある。

デジタルセキュリティ後進国の現実

そんなデジタル化の遅れは、世界的な経済活動においても遅れをとることを意味する。日本は現在たしかに世界第三位の経済大国ではあるが、デジタル化の遅れが続き、その「経済大国」の立場すら怪しくなりつつある。

欧米のシンクタンクによれば、「二〇三〇年ごろには日本は世界第三位の経済大国という地位をインドに明け渡すことになる」との予測も出ているが、「デジタル敗戦国」から復興へとうまく移行できていないことから、経済分野でも後退をすることになりそうだ。

サイバー世界でも、日本はまったく強国に入れていない。二〇二〇年九月、科学・国際情勢を研究するハーバード大学ベルファー・センターが、サイバー防衛や攻撃力など七つの項目で三〇ヵ国のサイバー能力を測定する「国際サイバー能力指数２０２０」を発表した。そこで、日本は九位に甘んじている。

その七項目は以下だ。

1　国内のサーベイランス（調査監視）・モニタリング
2　国家のサイバー防衛の増強
3　情報環境のコントロールや操作
4　国家安全保障のための海外のインテリジェンス収集
5　商業的な利益や国内産業の育成
6　敵対国のインフラ等の破壊や無力化
7　国際的なサイバー規範や技術基準などの定義づけ

一見すると、これらの指標のどれをとっても、日本はまったく世界のサイバー強国に歯が立たない。

しかし、恐らく3、5、7については、経済産業省や総務省の管轄下において、それなりに対応が進んでおり、他国に伍していけるかもしれない。だが、サイバー強国と呼ばれる米中英に比べて、4の「国家安全保障のための海外のインテリジェンス収集」や、6の「敵対国のインフラ等の破壊や無力化」などは、世界的なサイバー能力を測る指標とされているのに、日本はほぼ何もできていないと言っていい。

その理由としては、オフェンシブ（攻撃的）なサイバー対策が圧倒的に欠けている現実がある。そもそもオフェンシブ能力があるのかすら怪しい。

先にも述べたが、防衛省にはサイバー防衛隊が存在するものの、そのミッションの主たる目的は重要インフラを守るというより、自衛隊・防衛省の情報システムを守ることになっている。

自衛隊の情報システムを守ることが日本のサイバー防衛にとって重要であることは言を俟《ま》たない。

図2　日本のデジタルセキュリティ指数

National Cyber Power Index

2020年９月
国際サイバー能力指数、日本は９位

科学・国際情勢を研究するハーバード大学ベルファー・センターは、公開情報をもとに、サイバー防衛や攻撃力など７つの項目で30ヵ国のサイバー能力を測定する「国際サイバー能力指数2020」を発表。

1	アメリカ
2	中国
3	イギリス
4	ロシア
5	オランダ
	…
9	日本

Global Cybersecurity Index

2019年７月
世界におけるデジタルセキュリティの取り組み指数、日本は14位

国際電気通信連合（ITU）は、2018年版グローバル・サイバーセキュリティ・インデックス（GC1）を発表した。GCIは各国のサイバーセキュリティの取り組み状況について５つの観点から総合的に評価。

（ⅰ）法整備
（ⅱ）技術
（ⅲ）組織
（ⅳ）キャパシティ・ビルディング
（ⅴ）国際協力

1	イギリス
2	アメリカ
3	フランス
	…
14	日本

しかし、サイバー空間が公共化している現代のデジタル社会では、サイバー空間を構成する情報通信インフラや、そうしたインフラに依存している金融などの重要インフラを守らないと日常生活が成り立たなくなる。そういう観点から、日本を守るためのデジタルセキュリティに関わる自衛隊の役割については、法律上で明確にする必要があるのではないだろうか。

自衛隊が任務として、重要インフラがサイバー攻撃で攻められないよう情報収集や分析、評価、そして必要に応じて事案対応を行う必要があると考えている。自衛隊が直接的に重要インフラ事業者などとも情報共有をしなければならない。

誤解のないように言えば、自衛隊は、関連の民間企業とは情報交換などを行っている。ただそれは、自衛隊のシステムを守る目的での情報共有であり、それでは国のデジタルセキュリティを守るには不十分だと言わざるを得ない。直接、国外から安全保障を脅かすようなサイバー攻撃・ハイブリッド攻撃があった際に、国民を守り切ることができるのか。頼りない状況が続いているように思う。

日本の同盟国であるアメリカでは、米軍はＮＳＡ（国家安全保障局）の監視活動や、重要インフラ事業者からもデータや情報を集めて分析して、国外からのサイバー攻撃に備え

図3　ハーバード大学など、研究機関による国際ランキング

	ベルファー・センター： **国際サイバー能力指数（2020）**	ITU： **サイバーセキュリティ取り組み指数（2018）**	エコノミスト・インテリジェンス・ユニット＆ブーズ・アレン・ハミルトン： **サイバー能力指数（2011）**
1	アメリカ	イギリス	イギリス
2	中国	アメリカ	アメリカ
3	イギリス	フランス	オーストラリア
4	ロシア	リトアニア	ドイツ
5	オランダ	エストニア	カナダ
6	フランス	シンガポール	フランス
7	ドイツ	スペイン	韓国
8	カナダ	マレーシア	日本
9	日本	ノルウェー	イタリア
10	オーストラリア	カナダ	ブラジル

ているのである。

そこは軍が出てこなければいけない話なのだ。

すでに着弾している「デジタルミサイル」

新型コロナウイルス感染症は人の命を奪う。一方で、サイバー空間のウイルスであるマルウェアでは人は直接的には死なないが、パソコンやサーバーなどの「命」が奪われる。そしてそんな破壊が大規模であったり、長く続くようなことがあれば、ビジネスや産業が死ぬかもしれない。

結果として、我々の生活に多大なる影響を与えることになる。さらに電力などのインフラや、自動運転システムなどが攻撃されると、実際に死者が出ることだってあり得ることも覚えておいたほうがいい。

日本の自衛隊は、北朝鮮のミサイル脅威にはイージス艦などで対抗能力を上げている。ところが毎日、巡航ミサイルのように目には見えはしないが、同じレベルで悪意のあるサイバー攻撃が日本に「着弾」している現実を前に、何ができるのか。

それを打ち落としてくれるのだろうか。

国土を守るサイバー防衛のためのシステムを構築してくれているのか。

残念ながら、今は着弾されっぱなしである。

「悪意のあるマルウェア攻撃にさらされています。危険な状況です。国民を守るために撃ち返します！」

と宣言でもするべきだろう。そうすれば、サイバー攻撃の被害に遭っている多くの企業や国民が賛同してくれるに違いない。

二〇一九年七月、「国際電気通信連合（ＩＴＵ）」は、二〇一八年版「グローバル・サイバーセキュリティ・インデックス（ＧＣＩ）」を発表した。ＧＣＩは各国のサイバーセキュリティの取り組み状況について、次の五つの観点から総合的に評価している。

（ｉ）法整備
（ⅱ）技術
（ⅲ）組織
（ⅳ）キャパシティ・ビルディング
（ｖ）国際協力

このサイバーセキュリティの取り組み指数で、日本は世界で一四位だった（二〇二〇年版では一二位）。要は、世界第三位の経済大国を守るための対策ができているとは言い難いのである。

セキュリティクリアランスの必要性

日本の官庁では、諸外国に比べて機密情報を扱うのに十分な対策ができていないと批判されることがある。もちろん、公務員などには特定秘密保護法などで情報を外部に漏らすことができないというルールがあるが、そもそも誰がどれほどの機密情報を扱うことができるのかについての規定は、個々の省庁や部署などの単位で緩い決まりはあっても、国家的なシステムとして存在していない。

たとえばアメリカでは、機密情報を扱える人に資格を与えるセキュリティクリアランス制度というものがある。四段階や一二段階というかたちに情報をカテゴライズして、誰がどんな機密情報を扱うことができるのかを決めている。

よく聞く「トップシークレット」に指定された情報は、米政府の中でも限られた人たち

図４　ITU（国際電気通信連合）による2020年GCI（グローバル・サイバーセキュリティ・インデックス）ランキングTOP50（同率含む）

国名	スコア	ランク
アメリカ	100	1
イギリス	99.54	2
サウジアラビア	99.54	2
エストニア	99.48	3
韓国	98.52	4
シンガポール	98.52	4
スペイン	98.52	4
ロシア	98.06	5
UAE	98.06	5
マレーシア	98.06	5
リトアニア	97.93	6
日本	97.82	7
カナダ	97.67	8
フランス	97.6	9
インド	97.5	10
トルコ	97.49	11
オーストラリア	97.47	12
ルクセンブルク	97.41	13
ドイツ	97.41	13
ポルトガル	97.32	14
ラトビア	97.28	15
オランダ	97.05	16
ノルウェー	96.89	17
モーリシャス	96.89	17
ブラジル	96.6	18
ベルギー	96.25	19
イタリア	96.13	20
オマーン	96.04	21
フィンランド	95.78	22
エジプト	95.48	23

国名	スコア	ランク
インドネシア	94.88	24
ベトナム	94.59	25
スウェーデン	94.55	26
カタール	94.5	27
ギリシャ	93.98	28
オーストリア	93.89	29
ポーランド	93.86	30
カザフスタン	93.15	31
デンマーク	92.6	32
中国	92.53	33
クロアチア	92.53	33
スロバキア	92.36	34
ハンガリー	91.28	35
イスラエル	90.93	36
タンザニア	90.58	37
北マケドニア	89.92	38
セルビア	89.8	39
アゼルバイジャン	89.31	40
キプロス	88.82	41
スイス	86.97	42
ガーナ	86.69	43
タイ	86.5	44
チュニジア	86.23	45
アイルランド	85.86	46
ナイジェリア	84.76	47
ニュージーランド	84.04	48
マルタ	83.65	49
モロッコ	82.41	50

しか見ることも聞くこともできない。しかもセキュリティクリアランスの資格を得るのには、家族構成から外国人との交友関係まで、あらゆる項目で書類審査が行われ、外部に情報が漏れるリスクがある場合には、資格は得られない。トップシークレットを扱うランクともなれば、ポリグラフ（うそ発見器）まで受ける必要がある。

一方で、日本にはセキュリティクリアランスはない。これは大問題である。日本国内で機密情報に触れる人の素性がわからない。その人が、どんな情報漏洩のリスク要因を持っているのかもわからない。データがこれまで以上にデジタル化されている世界において、情報伝達や端末の持ち運びが以前にも増して簡単になっていることを考えると、そのリスクは大きくなっているはずだが、それに対応するシステムがないのは心許ない。

しかもこうした情報は政府の中だけでなく民間企業が共有することもあり、機密情報のアクセス権限がどうしても曖昧になってしまう民間から情報が海外のハッカーに漏れていく可能性がある。

経済安保の情報保全、三つのポイント

まさに、最近話題になっている経済安全保障の問題だ。この観点からの情報保全については三つのポイントがある。

まず**資本**。つまり資金を提供して株主になることによって、内部情報にアクセスできる立場を確保した上で、必要な情報収集をする。株主には情報開示権がある。企業の知的財産情報の開示が要求されることもあるだろう。また企業を買収するなどして内部の機密情報へのアクセスを可能にもできる。

二つ目は、**技術の提供**である。ハードやソフトウエアのどちらも考えられるが、電子機器やサービスにバックドア（遠隔操作でアクセスできるようにする不正プログラム）を埋め込んでおくというものである。これは基本的に、限られた国でしかできない。また、インテリジェンスの世界でのことであり、最終的には曖昧なままで終わることも多いが、前述したファーウェイ製品がこうしたかたちで使われてきたという報道が世界的にも多数なされているのは周知の通りである。

三つ目は**人**である。人のセキュリティクリアランスを制度化し、政府関係者のみなら

ず、そこにかかわる民間にも情報アクセスを厳格にし、官民のインフラ、とくに情報インフラで使用するハード・ソフトの調達をしっかりと管理することで、こうした事態を防げる可能性は高まると思う。

第四章

私と「デジタルセキュリティ」

社会人は銀行員としてスタート

インターポールといえば、日本人にとっては、マンガ『ルパン三世』シリーズの銭形警部の印象が強い。当然、私も入るまではそうであった。ただインターポールには銭形警部のような刑事はいないし、存在することもできないだろう。当たり前と言えば当たり前だが。

世界中から警察関係者が集まる国際機関で、最後にはインターポールの「ナンバー2」のポジションまで経験させてもらった。言うまでもなく、そこにはそれまで見たことのない景色が広がっていた。もっとも、私がそんな役職で活動をすることになるとは、それまでの人生では想像もつかなかったのだが……。

銀行員の家庭に生まれ育った私は、大学卒業後、両親の影響もあって迷わず銀行に就職した。時はバブル時代の真っ盛り、就職活動も売り手市場で、言うなればやりたい放題のとんでもない状況だった。

当時は、N証券なら「Nの4S」などと言われて、新卒採用者を惹きつけるために、企業側が「ステーキ、寿司、しゃぶしゃぶ、S○○○……」と、いまではあり得ないような人材獲得合戦を繰り広げていた。それほど経済がバブルになっており、とにかく学生がもてはやされている時代だった。おそらくいまの学生たちが見たら、ひっくり返って驚くような世界だった。

そんなうわついた時代の流れに乗って、一九九一年に大手の銀行に就職した。ただ銀行に入るとまざまざと、バブル経済の水面下に広がっている現実を見せつけられた。

いまでもよく覚えているのが、就職してすぐに、支店に一時勤務する支店研修のことだ。その支店のナンバー2である副支店長が、来店した一見して暴力団関係者とわかる男性客に頭をペコペコ下げていた。当時、暴力団は銀行から多額の融資を受けて地上げをしたり、いわゆる「街金」と呼ばれる高利子の消費者金融業を行っていた。バブル時代でどんどん金が回っている時代で、いわくつきの金が飛び交っていた。

暴力団は違法スレスレで貸金業をしていたが、貸した金を強引にでも取り立て、結果的に銀行から借りた金はきちんと返してくれていた。銀行からすればきちんと支払いをしてくれる「良いお客」ではあったわけだ。ただ少し考えてみればわかることだが、それは社会で行われている違法活動を助長していることになっていたわけである。

私は本来、資金はないが社会問題を解決するアイデアを持っている中小企業や個人事業主に事業資金を融資していくのが銀行の社会的使命だと理解していた。

それがあるべき姿だと思っていたのだが、最初の支店研修で、そのイメージが崩壊するような現場を見せつけられたわけである。本質的な違和感を覚えて、その年の一二月には見切りをつけ、そこから警察庁に入るため、必死になって勉強をはじめた。結局、入行から一年も経たずに、銀行を退職した。

ところで、なぜ「警察」だったのか。じつは大学時代に、高校時代の友人と一緒に学習塾を営んでいた。その経験が、間接的に自分の決断を後押しすることになった。

裕福な家庭に育った友人の実家が横浜の中心にビルを持っていたこともあって、あまり初期投資のリスクもなく、友人と一緒にそのビルの一室を借りて塾を開いた。

といっても、どうしても金を稼ぎたいという感覚ではなかった。受験でみんな苦労しているが、どうしたら楽しみながら、そして効率的に、辛くないかたちで大学に入るための勉強ができるのかを、多くの学生に教えたいという思いがあったからだった。勉強というのは案外と楽しいものだというのを感じながら受験してもらいたい、というのを目標にしていた。

その時はむろん知るよしもなかったのだが、その塾での稼ぎが、実際は新卒で入行した銀行でもらう給料よりもよほど多かった。そんなこともあって、就職した銀行を辞める決断をするのにあまりおカネの心配をすることはなかった。辞める時は、周りの友人から「せっかく銀行に入ったのに、辞めちゃってこの先大丈夫？」と心配されたものだった。

だが私本人はなんとも思っていなくて、もちろん固定給が支払われる職を失うというマイナス要素はあったが、それをリスクであるとは当時思わなかった。バブル時代だったからかもしれない。

要するに、銀行の安い給料で、反社会勢力である暴力団などに頭を下げるのはごめんだと。最大のリスクは何もしないでこのまま過ごすことだと思い、一九九三年に国家公務員として警察庁に入った。当時、公務員は銀行などに比べて人気がなかった。とはいえ、いまよりは断然人気があったが。運もあって国家公務員Ｉ種試験（行政職）には一番で合格した。

「正義感」を表明する

警察に入ってみると、銀行のころとは打って変わって、想像通りの場所だった。警察は、正義の味方であり、自分のもっているイメージ通り。「水戸黄門」とまでは言わないが、勧善懲悪の世界だ。いま振り返ってみても、警察庁時代は非常に楽しかったと言っていい。

警察では、「正義感」という言葉を恥ずかしくもなく言えるし、使える。警察庁内では、それを大切にしろと言われて教育された。

弱い人や困った人の助けになっているという感覚があり、その空気感が私の肌に合っていた。大学時代の専攻はアフリカ政治で、卒論は南アフリカのアパルトヘイトについてまとめたものだった。これは後に、インターポールに入ったときに非常に役に立った。アフリカについて研究して論文を書いている人は、インターポールといえどもそう多くはなかったので、みんなが興味を示してくれた。

その卒論は、なぜ生まれた時から差別されている人がいるのだという疑問に対する答えを追究していくものだった。そして、暴力に支配された社会。生きていくのも大変で、路上でいきなり殺されることも少なくない。そこは銀行で見た暴力団の存在とも被り、通じるものがあると感じていた。

警察庁を希望した動機は、子どもたちが夢を見て、それを目指してがんばれる安定した社会基盤の根幹となる良好な治安システムが暴力団によって乱されないよう、その制度設計に参画したいというものであった。

システム、すなわち、法律などから、社会の仕組み自体をより良くしていきたいと考えていた。なので、いわゆる街の警察官として法を執行するというよりは、警察庁で日本社会の基盤作りをするための法整備や予算人事政策に携わりたかった。

治安が乱れていると安心して社会生活を送れない——それはアフリカから学んだことだった。

警察庁にいるころは、常に正義感というのが自分の指針になっていた。家庭環境や社会環境に恵まれていない人が犯罪被害に遭うケースも多かった。刑事司法的にどう助けていけるのかと考えていた。

そして二〇〇一年ごろのこと。当時の森喜朗《もりよしろう》首相が、使われはじめたばかりの「ＩＴ革命」という言葉を誤って「イット革命」と言っていた時期で、まだ多くの人がインターネットと縁遠い生活を送っていた時代だった。

そのころに、犯罪者は児童ポルノを、紙ではなくデータで保存するようになっていった。そして社会基盤となるインフラという観点からしても、通信の容量が大きくなり、通信速度もブロードバンド化で速くなっていたという状況から、児童ポルノなどの画像もインターネットでどんどん送られるようにもなった。そのうち、それが動画になっていき、それが動画配信になり、いまではライブも使われている。

テクノロジーは善良な人にも悪人にも等しく影響を与える。ビジネスなどで使われるのと同時に、犯罪者も使うようになっていくのである。

警察庁は二〇〇四年に通称サイバー犯罪対策課（正式名称は「情報技術犯罪対策課」）を設置した。

私はそれより少し前に、児童ポルノ対策を担う少年課でデジタル化が進む犯罪の最前線で対策を行うことになった。そこで、児童ポルノ対策を協議するG８の会議でフランスに出張した。そのときにはじめて、フランス南東部のリヨンにあるインターポールの本部を訪問した。

インターポールとは

最初の印象は、「これがかの有名なインターポールか」というものだった。

ただ重ねて言うが、インターポールには銭形警部はいない。インターポールは、法を執行することはない。つまり逮捕権を持たないのである。その点は現在の、日本の警察庁と同じだ（註：警察庁が直接サイバー犯罪捜査を行えるようにする警察法改正が二〇二二年になされる予定である）。警察庁は、警視庁や道府県警察のような法執行をすることはないのである。

これも繰り返しになるが、日本の場合は、第二次大戦に至る歴史の教訓から、国家的な警察機関に逮捕権を含む法執行をさせない捜査制度になった。逮捕権を含む捜査権限を行使できるのは、各都道府県の警察である。

一九五六年に設立された世界最大の警察協力機関であるインターポールには、日本を含む世界一九四ヵ国・地域が加盟している（二〇二一年一〇月現在）。

じつは、日本とインターポールの関係は古い。一九七五年から警察庁は「セカンドメント（出向）」として職員をインターポールに派遣している。セカンドメントでは、職員派遣の経費などはほぼすべて派遣国が負担する。インターポールにおいて直接各国の警察職員とつながることができるので、自国での捜査などにも活かせるという期待が、派遣国にはある。

日本の警察は、一九五二年にインターポールの前身である「ＩＣＰＣ（国際刑事警察委員会)」(一九五六年、ICPOに改組)へ加盟した。加盟後は、毎年、年次総会に代表団を派遣し、インターポールの活動には積極的に協力してきた。あまり知られていないが、一九六七年には、日本ではじめてのインターポール総会(第三六回)も京都で行われている。

現在のインターポールの戦略目標は以下の四点になる。

①実用的な情報交換のための信頼性の高い情報ハブ機能の提供
②協力関係を通じた警察活動の強化
③革新的な解決策の提供による警察活動の高度化
④透明性の確保と即応性の強化によるパフォーマンスの向上

(警察庁の資料より)

インターポールの最高意思決定機関は、各加盟国からの代表で組織される総会だ。総会は年に一度行われる。インターポールの執行委員会は、任期が四年である総裁をはじめ、任期が三年の副総裁三人と執行委員九人で構成される。

執行委員会は、株式会社でいえば取締役会に相当する。総裁以下全員が選挙で選ばれ、全員が非常勤の社外取締役の位置付けである。

同じ国からの出身者が二人いてはならないという決まりがある。総裁ならびに副総裁の計四人は、それぞれがアメリカ、アフリカ、アジア、ヨーロッパの各大陸から選ばれることになっている。中東はアジア地域に含まれており、トルコやイスラエルはヨーロッパ地域に分類されている。このあたりは歴史的な経緯が影響している。

二〇二一年一一月にトルコで総会があり、執行委員会のメンバーが総裁を含めてずいぶんと代わった。現在の執行委員会は、総裁がＵＡＥ（アラブ首長国連邦）、副総裁がチェコ、ナイジェリア、ブラジル、そして執行委員がアメリカ、アルゼンチン、スーダン、ケニア、中国、インド、スペイン、イギリス、トルコという国から構成されている。総裁や副総裁を含め、著者の知り合いも多いが、地政学的影響を受けて難しい舵取りが求められる国際機関のガバナンスにおいて執行委員会の果たす役割は大きい。

かくゆう私も二〇一八年一一月〜二〇一九年三月まで、執行委員を務めていた。なお、この際に国際選挙の面白さと難しさ、とくに選挙では握手した数以上の票を取るのは難しいということを学んだ。

インターポールの実質的責任者は事務総長であり、警察庁の資料には、

「事務総長は、警察事項について高度の識見を有する者の中から執行委員会が選定し、総会の承認を経て任命される。任期は五年で、一度に限り再任も可能である」

と記載されている。

また任務は、

・職員の採用及び指揮
・予算の執行
・事務総局の部局の組織及び指揮
・インターポールの活動計画案の策定

などになる。

各国には、インターポールとやりとりをする事務局として国家中央事務局が置かれ、情報連絡窓口機関として機能している。各国が指定する国家中央事務局は、原則として、一

国一機関と決まっている。日本の国家中央事務局は警察庁が担い、さらに細かく言うと、刑事局組織犯罪対策部国際捜査管理官が所管する。

加盟各国は、国内法の範囲内で可能な限りの協力をすることが求められる。国家中央事務局は、外国警察に対して捜査協力を求めることができる。日本も、そうした要請を受けた際には、国内の法規に矛盾しない範囲で応じている。

中国のデジタルシルクロード戦略

インターポールには、セカンドメント（出向、派遣者）だけでなく、インターポールが直接雇用するアンダーコントラクト（契約）の職員もいる。だいたい、各国からのセカンドメントが三割、直接雇用のスタッフが七割という割合である。しかし、民間出身の日本人で直接雇用される人はほとんどいないのが現実である（註：二〇二一年四月現在で法務部に一人いるだけである）。

インターポールの財政は加盟国による分担金や寄付で賄われる。日本の二〇二一年の分担金の負担額は、加盟国中、世界第二位であり、六一二万ユーロ（約七億九五六〇万円）以上の分担金を支払っている。

二〇二一年現在、インターポールの分担金を一番多く支払っているのはアメリカで、中国はドイツに次いで四番目であるが、すでに国連の分担金負担額では二番目となっているのでインターポールの分担金においても、来年にも中国が二番目になるはずである。

インターポールにおける毎年の分担金総額やその分担比率は国連の各国の分担率を鑑みて決められていくため、分担金の負担割合は国連のそれを指標に定期的に見直されることになっている。つまり、国連で分担金比率が変更されると、その数年後にインターポールの分担金負担率も変更されるメカニズムになっている。

国際機関では、この分担金をどれだけ支払っているのかによって、組織内での発言権が大きく変わってくる。

アメリカは多くの国際機関でいちばん多くの分担金を負担しているので、どの組織でもアメリカ出身者の発言はそれなりの重みがある。逆に言えば、カネを多く出す国は国際機関に影響力を行使することが〝できる〟仕組みになっている。あとは、どこまでやるのかである。〝できる〟ことと〝やる〟ことは違う。

たとえば、欧州にアフリカから移民が大量に押し寄せた際には、移民の影響を受けるEUの国が関係国を巻き込んで、国際機関を通じて効果的な対策が何かできないかということでプロジェクトを立ち上げる、といった具合だ。実際にインターポールでも、EU加盟国からそうしたプロジェクトの協力を要請され、新規プロジェクトを立ち上げた。

中国も同じように、任意拠出などで、大規模経済圏構想「一帯一路（シルクロード経済圏構想）」に関連する国が含まれるプロジェクトを提案していた。

一帯一路とは、二〇一三年に習近平国家主席が立ち上げたプロジェクトで、アジアとヨーロッパを陸路と海上航路でつなぎ、物流ルートなどで貿易を活発化させるものである。それによって、関係国の経済成長を通じて、中国主導の経済圏を作り出そうという構想だ。

中国の〝おもてなし〟パワー

中国が必要以上に警戒されるのは、あまりにもスケールが大きいということと、国際機関などでプロジェクトを立ち上げる際には、惜しみなくカネを出すからかもしれない。徹底して会議参加者たちにストレスを感じさせないように完璧な準備をする。なかなか普通の国にはできないレベルのリソースの配分をするのである。ある意味で、外交的かつプロフェッショナルな〝おもてなし〟である。

私はインターポールで中国の国際機関への働きかけを直接見たり、経験する立場にいた。通常、インターポールのプロジェクトを立ち上げる場合には、会議参加者への旅費や宿泊費といった経費をどこまでインターポール事務総局とプロジェクトのスポンサー国が分担するのかを決めるのだが、その議論は常に白熱する。

事務総局は自らの裁量で支出できる項目を多く見積もり、スポンサー国はそうしたロジ費用を最低限に抑えようとする。わかりやすくいうと、日本の各省庁（インターポール事務総局）が予算要求に際して財務省（スポンサー国）のヒアリングを受けて査定されるようなイメージに近い。

ところが中国がスポンサー国の場合、このプロセスがほとんどない。場合によってはこちらが要求した以上の額がオファーされることもあるのだ。これは驚きである以上に、多くの場合、感謝されることになる。

じつは、国際機関が主催する会議やイベントでは、参加費用を事務総局が負担してほしいという要望が加盟国からよく寄せられる。中国が立ち上げたプロジェクトでは、中国が経費のほとんどを負担することが多い。プロジェクトそのものには賛同するが参加費用を中国政府から直接受け取れない国は、プロジェクトへの参加を躊躇することもある。

中国側はそれを踏まえて、経費分はすべてインターポールにポンと預ける。そうすることによって、どの国であっても旅費や宿泊費はすべてインターポール事務総局から直接支払われる体裁になる。

覚えておかなければいけないのは、中国はこれを多くの国際機関でやっているということだ。そこまでやって、国際機関における自国の「イメージ」を向上させようとしている。結果的に影響力が強まっていくのは自然の流れだ。なにせ、どこの機関も資金が不足しているからだ。

私の経験では似たようなかたちで国際機関をうまく使っているなと思った国は、中国以外ではイギリスとＵＡＥ（アラブ首長国連邦）である。だが残念なことに、日本はそういうお金の使い方は下手だ。

政治への干渉を禁じられたインターポール

インターポールは国際的な捜査共助を目的とした機関ではあるが、政治などがからむともう手出しができないという側面がある。

インターポールの任務を定めたインターポール憲章は、組織としての中立性をうたっており、第三条に「機構は、政治的、軍事的、宗教的又は人種的性格を持ついかなる干渉又は活動もしてはならない」と定められているからだ。

つまり、国家の政治にからんだ動きや、情報活動、軍事関連の活動などにはいっさい関与しない、してはいけないということだ。

また、インターポールに派遣される各国の警察関係者たちは、着任時にまず国家的な揉めごとは脇に置いて、国際的な警察機関に属する者同士として協力をするという文書に署名することになっている。

もちろん実際の活動においては必ずしもその通りにはいかないことも少なくないが、一応、そういう体裁で日常的に業務を行っている。それぞれの国の本音は、国際捜査分野における自分たちの国益実現のために邁進したいというものなのだが。

捜査制度に王道なし

インターポールでいろいろな国での治安対策を見て感じたのは、サイバー空間で起きている犯罪への対策においての難しさであった。

先ほどのアフリカから欧州への移民のケースを考えても、治安維持の方法は政策的にも法律的にもいろいろである。

要するに何を目指すかだ。

現在では、AIを使った顔認証技術や国民の動きをデータなどから把握することで、「犯罪の未然防止」を試みている国も世界中で、じつはかなりある。

ジョージ・オーウェルの小説『1984』で出てくる「Big Brother Is Watching You（ビッグ・ブラザーが見ているぞ）」のようだ。架空の全体主義国家「オセアニア」の独裁者である「ビッグ・ブラザー」が国民の行動をカメラなどでいろいろと監視しているのだが、こうした国はそれなりの数、いまの世の中に実際に存在している。

ただ、監視が強まると、当然、個人のプライバシーがなくなってしまう。監視社会の副作用である。

これは、たとえば児童ポルノ対策にも当てはまることがある。違法な児童ポルノのデータを持っている人を捕まえるために大規模なデータモニタリングを行うと、児童ポルノとは無縁の人たちも対象に含まれる場合もある。

このような場合においての国の統治や国民に対する対応は、国の成り立ちや人々の価値観などでその対応が変わってくる。判断する基準が国によって違うことが、国際的な犯罪捜査の協力の橋渡しをするインターポールにいると、頭で考えていた以上に調整業務を難しくさせると感じていた。

グローバルな視点から何が正しいのか、ではなく、地域ごとに、そして国ごとにベストな方法がある。

それゆえ、ある国にとってうまくいく捜査制度や捜査手法が、別の国では必ずしもうまくいかない、どころか批判を浴びる場合もある。

中国のサイバーセキュリティ法（二〇一七年）やデータセキュリティ法（二〇二一年）などの法制度や犯罪捜査の手法を、そのまま日本にもってきても社会的にはベストにならないと言えばイメージしやすいだろう。日本は日本に適したプライバシーやセキュリティの制度作りが重要なのである。

求められる「空気を読まない力」

私は、警察庁には二六年間勤務した。そのうち、一年は海外留学、インターポール事務総局には二〇〇七年から二〇一八年まで、合計一一年間いた（二〇一一年九月〜二〇一二年三月の間は日本での警察庁勤務）。自分で言うのも何だが、そんな長期間にわたって国際機関に出向している職員は、警察庁でも珍しい存在だったといえる。

インターポールに行った理由はたんなる偶然だった。自分から立候補したわけではない、二〇〇三年からG8の実務者会合に何度か参加しており、そのプロジェクトの一つがきっかけで仏リヨンのインターポール事務総局に行く機会があった。その後インターポール関係の出張が増えていき、最終的には事務総局による面接を経てインターポールへ派遣されることになったのである。

もともと、警察キャリアの海外赴任の王道は、在外公館への勤務というのが一般的だった。

両者の違いは、海外の日本大使館というのは結局、国外にある「日本」にほかならないので、日本にいるのと仕事の仕方は大きくは変わらない。かなりの程度「霞が関」の延長線上にあるわけだ。

他方、インターポールはそうはいかない。国際機関では日本語は公用語ではなく、かつ日本人は人数的にもマイナーな存在であるので、日本的な仕事の仕方というのは一〇〇パーセント通用しない。

また、インターポール事務総局には一〇〇以上の国や地域の出身者が勤務しており、毎日が異文化交流であるという多様性がデフォルト（言い訳）になる文化であった。おそらく、私の場合、国際会議で場慣れはしていたこともあって、ハードな国際環境であってもストレスを感じずに、言いたいことを臆することなく言えるという意味でタフな人物と警察庁内部で見られていたのかもしれない。運命なのか偶然なのかはわからないが、こんなことから、在外公館勤務ではなくインターポールに勤務になったものと推察している。

日本人として、インターポールのような国際機関で働くのには、「空気を読まない力」が絶対に必要となる。ずうずうしさも必要だ。

多くの日本人は自分がやられたら嫌なことは相手にもしないように育てられていると思う。それが日本のよさでもある。

しかし、国際機関では、相手はこちらが嫌がることを、わざと婉曲に突いてくる。最初は英語がよくわからなかったので気にならなかったが、じつは「あなたがここに触れられるのが嫌なのは知ってますよ」とばかりに、コミュニケーションをとってくることがあったのである。

日本でよく言う「マウンティング」をとるコミュニケーションだ。こちらの立場や状況など、触れられたくないところは十分にわかっているので、すべては言ってこない。言われているようで言われていない感覚と言ったほうが正しいかもしれない。

あくまで私の経験の範囲であるが、こうしたコミュニケーションをプロフェッショナルに、かつ日常的に上手くできる人が多いのがイギリス人である。英語が母国語だから当たり前と言えばその通りだが、アメリカ人はそんなことはなかった。

カナダ人はどちらかと言えばイギリス人に近い印象があった。そんなやりとりが日常的に行われている環境なので、いちいちストレスに感じるような人では仕事にならない。

「あんなこと言われた」

「いじわるだな」

なんて気にしていたら、相手の思惑通りで負けである。適度に英語がわからないのも役に立つ時があるなと思うくらいでも良いかもしれない。

あくまで「適度」ではあるが。

少年にハッキングされたインターポール

インターポール事務総局のデジタルセキュリティ対策は、早い段階から進んでいたとは言い難い。

その証左が二〇〇八年に起きたとんでもない事件だった。銭形警部が本当にインターポールにいたら激怒したに違いない。

この一件は、私のその後の人生を変えてしまうものだった。

その年、インターポールがサイバー攻撃を受けた。私にとっては、インターポールに出向しはじめた時の出来事だった。フランスのリヨンにある本部で、私はハイテク犯罪捜査課長として勤務していた。

そんな折に、インターポールが史上はじめて大規模なサイバー攻撃、いわゆる「ＤＤｏＳ攻撃（分散型サービス妨害）」に見舞われた。

ＤＤｏＳ攻撃は、デジタルセキュリティの世界ではインターネット黎明期から発生している有名な攻撃方法だった。大量のデータで負荷が高まり、システムが正常に動かなくなる妨害工作である。実際、ＤＤｏＳ攻撃によって、インターポールのウェブサイトが三日間にわたって断続的にダウンしてしまったのである。

復旧後、サイバー犯罪捜査担当の私のもとに、ＩＴ部門の課長から被害申告の相談が来た。この瞬間からインターポールが直接被害者となったＤＤｏＳ攻撃の捜査に自ら関与することになった。国際的な警察機関がサイバー攻撃で被害を受けるというのはシャレにならないことだった。

だがそれ以上に衝撃だったのは、その犯人であった。

このインターポールへのＤＤｏＳ攻撃の捜査は、フランス国家警察に被害届を出すことからはじまった。フランス国家警察のサイバー犯罪捜査課長がＧ８の会合で何度か会った人だったこともあってか、素早い捜査をしてもらい、サイバー攻撃がオランダから仕掛けられていたことが明らかになった。

その後、オランダ警察は犯人を逮捕することに成功したのだが、なんと犯人は一七歳の少年だった。共犯もいたが、その人物はすでにギリシャに逃げていた。一七歳の少年は、ＤＤｏＳ攻撃を行うために使う他人のコンピューターの一団（ボットネットと呼ばれる）のツールを自分で作っていた。そして、その自作したボットネットによるＤＤｏＳ攻撃の被害をまともに受けてしまったのが当時のインターポールであった。

ちなみに、この少年は自分のツールをネット上のアンダーグラウンド・マーケットで売って一儲けしようと企て、実績作りのためにインターポールを攻撃したら、思いがけず成功してしまったとオランダ警察に自白している。

セキュリティ責任者に

未成年の少年がお小遣い稼ぎで実施したサイバー攻撃で、インターポールが目に見えるかたちで深刻なダメージを受けた。笑えない話である。当時、事務総局でハイテク犯罪捜査課長としてこの事件の捜査に関与した私は、大きな危機感を抱いた。

そこでこのサイバー攻撃について、インターポールが露呈した組織的なデジタルセキュリティ上の脆弱さについて報告書にまとめて、当時のロナルド・ノーブル事務総長に提出した。

よくある事件結果報告書のようなかたちでまとめたこの行動が高く評価され、後にＩＴ部門の局長兼最高情報セキュリティ責任者（ＣＩＳＯ：Chief Information Security Officer）に任命されるきっかけとなったと知ったのは数ヵ月後だった。

報告の提出などは霞が関に勤めていた官僚であれば通常業務の一環で行う程度のものであったと思うが、国際機関ではこうした報告書を自ら書いて提出するというのが珍しいようであった。

結果、事務総局の組織体制の改善への積極的な取り組みを行う姿勢が評価され、インターポールのネットワークシステム構築の責任者であるIT局長という重要な役割を与えられることになった。

インターポールのCISOを務めた三年間は、本当に運が良かったと思っている。DDoS攻撃などは日常茶飯事であったが、それが大きなセキュリティ事故につながることはなかった。任期満了で大手を振って二〇一一年九月に警察庁に戻ることができた。

しかし、それから一年も経たないうちに、再度リヨンの事務総局に戻るとは、この時は考えていなかった。

なお、私の帰国から数ヵ月後の二〇一二年二月に、インターポールに対して二〇〇八年を超えるレベルのサイバー攻撃がアノニマス（ハッカー集団）によって行われた。私の二度目のインターポール勤務がはじまる一ヵ月半前のことであった。当時のノーブル事務総長からは、「ノボルが一ヵ月早く来れば攻撃はなかったはずだ。なんで早く赴任できなかったんだ！」と四月の着任早々にイチャモンをつけられた。面接の際に、早く来てほしいと言われていたこともあったからだ。いまでも忘れられない思い出だ。

サイバー犯罪対策本部

シンガポールに二〇一四年に創設するインターポールのサイバー対策拠点の総責任者を選考するための聞き取りが、二〇一一年一二月のクリスマスの直前、リヨンで行われた。その年の八月に日本に帰任したばかりの自分が、四ヵ月後の一二月に元上司や同僚から新ポストのインタビューを受けている光景はかなりシュールであった。

事務総長からは、

「どうせ応募する予定だったのであれば、なんでそのままセカンドメントを延長しなかったのか？」

という質問を受けた。まさにその通りなのだが、

「日本政府の方針があったので八月に帰国し、（応募できることが決定したとの通知をもらったので）一一月に応募した」と答えたら、「そんなのは帰国前から知っていただろう？」と大笑いされた。選考インタビューは良い雰囲気で終わった。

私が応募して総局長のポストに就いた組織の正式名称は「ＩＧＣＩ（INTERPOL Global Complex for Innovation）」と呼ばれている。だが二〇一一年当時には、このネー

ミングは長くて微妙だと思っていた。しかし、実際に自分が指揮を執ってゼロから作り上げた組織にイノベーションという単語が入っていたのは、いまから考えると時代を先取ることにもなった部分があるように思う。

二〇一二年四月の総局長着任時に決まっていたのは、ＩＧＣＩはシンガポールに設置されるということだけであった。

準備はフランス・リヨンの事務総局で行っていた。ＩＧＣＩの運用開始時期については当初予定では二〇一四年一月となっていたのが、その時点ですでに六ヵ月ほど遅れており、しかもコアスタッフは一〇名強しかいない状態だった。

インターポールはフランスに本部を置き、私が勤務をはじめた二〇〇七年当時は事務総局のスタッフの七割近くが欧州出身であったため、どうしても、ヨーロッパの国々が中心となって国際的に警察協力をやっている機関という印象が強かった。日本では漫画『ルパン三世』のおかげで知名度はあったが、そのほかのアジア地域では、タイのバンコクに小さなオフィスがあるだけで、アジアに大きなプレゼンス（存在感）はなかった。

ＩＧＣＩをシンガポールに設置することは、インターポールがアジアで存在感を示すことにつながり、日本を含めた多くのアジア諸国の間でインターポールの存在が身近なものになるのではないかと、大きな期待が生まれた。

ホスト国のシンガポールはＩＧＣＩ設置の誘致のために好条件の申し出を連発した。シンガポールという国は、都市国家で資源もなく、国外からの投資や頭脳の注入が国家の発展には不可欠であると認識し、それを着実に実行している戦略国家である。国際社会において存在感を増すために国際機関を誘致するというのは、わかりやすい（しかし非常に難しい）選択である。

当時のシンガポール警察長官がインターポール総裁だったこともあり、国際捜査協力のための国際機関、すなわちインターポールを自国に誘致するというオプションは実現不可能ではなかった。

観光立国であるシンガポールにとっては、国際機関の誘致は対外的に治安の良さなどをアピールできることを意味し、近隣諸国との関係でも戦略的重要性を持っていた。

シンガポール政府は、アメリカ大使館など各国大使館が立ち並ぶ高級地区である「タングリン地区」の広い土地を、たった一ドルの賃料で提供してくれることでインターポールと合意した。そして、曲線を多用したスタイリッシュな外観が印象的な六階建てのインターポールの建物にかかった建設費用の九〇パーセント以上をシンガポールが負担したのである。

テロリストの侵入を防ぐ

世界各地で発生しているサイバー犯罪の情報は、ＩＧＣＩのサイバー・フュージョン・センター（サイバー情報共有センター）で集約される。そこでデータアナリストと呼ばれるサイバー犯罪の専門官らによって分析され、ＩＧＣＩから世界各国の警察機関に情報が提供される。

また、加盟国の捜査当局は、国をまたいだサイバー犯罪を捜査するために、ＩＧＣＩにサポートを求めることも増えていった。

冒頭でも触れたが、二〇一六年にバングラデシュで大規模なサイバー犯罪が発生した。バングラデシュ中央銀行がサイバー攻撃を受けて、同行がニューヨーク連邦準備銀行に開設していた口座から、九・五億ドルをフィリピンやスリランカなどに送金するよう、不正な要求が行われたのだ。正式な手続きで送金要求がなされたために、連邦準備銀行側は疑うことなく送金を実施した。

結局、途中で不正行為であることが判明して、取引は中止されたが、その時点ですでに八一〇〇万ドル（約九七億円）が送金され、フィリピンなどで引き出されてしまっていたことが判明した。

このケースではバングラデシュ警察からIGCIに捜査協力の要請が来たため、即座に専門スタッフがシンガポールからダッカに飛んで、デジタルフォレンジック（デジタルデータの調査を行い、情報の漏洩痕跡を解明する）などのサポートを行った。

その後、この事件は、背後にとある国家がからんでいるという見方が出たため、捜査支援はストップした。北朝鮮である。先にも述べたように、基本的に国家が主体となっている場合は、刑事司法の協力機関であるインターポールでは行為自体が犯罪であっても扱わない。

こうした事件は、「外交」か「インテリジェンス」の方面で解決してもらうしかない、ということになる。刑事司法では国を犯人として捕まえるわけにはいかないからだ。

結局、ある程度まで捜査を行い、バングラデシュにもアドバイスをすることで協力は終わった。

ちなみに、インターポールは世界各国の情報機関とは接触しない。そもそも情報機関から捜査目的で警察機関が情報をもらうのはイレギュラーであるからだ。

これは、インターポールの業務において常に注意すべき点であった。情報機関と捜査機関では、与えられている権限が違うからだ。また、警察は軍とも違う。

だが微妙な場面も存在する。

イラクやシリアの戦闘地域で得られたテロリストの情報や犯罪データは、最前線で活動する軍が入手するものもある。このような情報やデータは、あくまで軍が警察活動の一環として収集したものであれば、加盟国の警察機関が国内法に基づき適切に処理した後にインターポールに共有される場合もある。現在は、インターポールはこうしたかたちで共有された情報を基にテロリストデータベースを維持しており、それらは加盟国が水際でテロリストの侵入を阻止するのに使われている。

グーグルとの提携計画も

ここまでデジタルデータのセキュリティがいかに重要であるかについて繰り返し説明してきた。国際的な捜査協力に主眼をおいた警察間協力組織であるインターポールは、逮捕などの直接的な法執行こそしない。

しかし、犯罪などにからむかなりの量のデータを保管・分析し、共有している。

たとえば、世界的な盗難車両、美術品の盗難、犯人容疑者に関する情報、さらに盗難紛失パスポートなどもデータベース化し、それを検索できるような安全なネットワークを加盟国に提供している。

そこでは、データだけでなく、データにアクセスする国の捜査機関をもつなげて、世界各地のどの国がどの情報にアクセスしたかなどの統計データを、一定条件の下で事務総局が把握できるようになっている。

国境を越える犯罪捜査を支援する過程で、同種の犯罪を追いかけている各国の捜査機関を、共同捜査のプロジェクトを立ち上げることで支援していくということも少なくない。

こうした活動を続けると、世界の警察が、犯罪捜査の過程でつながっていく。

私がＩＧＣＩの総局長時代に、犯罪捜査支援のイノベーションとして検索できる犯罪情報の範囲をさらに拡大して、国際捜査協力の「グーグル検索」サービスを作ろうと考えたこともあった。

実際、こうしたことを議論するため、グーグルにも訪問したことがある。そこでは、グーグルの検索システムに対する凄まじい情熱と莫大な投資を実体験として感じることができた。

検索エンジンを作るのには、莫大な量の「生データ」が必要となる。半端のないデータ量だ。個人の検索履歴なども大量に蓄積していくのだが、インターポールが犯罪データを使った「グーグル」を目指そうとする際には、犯罪データの提供主体である各国の警察機関の了解を得る必要があった。

とりわけ、センシティブ（扱いに細心の注意を要する）データの塊である犯罪関連情報のデータについては、データにアクセスする人のクリアランス（適格性）に配慮する必要がある。

具体例を挙げよう。

インターポールのデータシステムでは、データ提供国Aは自国が提供する犯罪データについてB、C国との共有を拒否する設定をすることもできるようになっている。インターポールに加盟する一九四ヵ国の中には、米国とイランのように外交関係がない国もあるからだ。

だからこそ、インターポールは、犯罪情報をデータサイエンティスト（分析官）が内部の独自システムで扱って、そうした国家関係に配慮しつつ活動している。

それを外部に依頼してＡＩを使ってシステム化しようと考えた。しかも、グーグルに話を持っていくと、そのアイデアは十分に実現が可能だという。ただグーグルの要望は、「生の犯罪データ」がほしいと。それが犯罪捜査という特殊領域の検索エンジンの精度向上に不可欠だからだということだった。

しかし、国際的な警察協力機関としては、加盟国から受け取った犯罪関連の情報を了承もなく他の機関に、それも民間企業に渡すことは絶対にできない。結局、グーグルと連携はできないという結論に達した。

インターポールは、いまも内部のデータサイエンティストによって犯罪分析を行っている。

インターポールは、加盟国の捜査機関から寄せられる犯罪関連のデータ、そしてデータベースを基にした独自の情報を橋渡しする機関であり、多くの民主主義国家において、政府はさまざまな制約があって、人権に配慮したデータの活用が求められている。

二〇一二年の一件で学んだのは、（当時ですら）グーグルなどの技術力はすごいところまで進んでいるということだった。

この分野においては国ですらグーグルのような巨大ＩＴ企業には追いつけないのではな

いかということを実感するとともに、これからはデジタルデータの時代であるとひしひしと感じたのだった。

第五章　ハイテクニカル・デジタルデータ覇権

サイバー情報活動における米中の違い

第二章で触れたが、現在、世界のデータがいかに危険に晒されているかについては、元NSA（米国家安全保障局）職員のスノーデン氏が暴露した米政府機関による世界的な通信傍受と、中国によるアフリカ連合（AU）本部におけるデータ収集疑惑の発覚が象徴的だと言える。

この二つのケースから明らかなのは、アメリカも中国も、どちらも国家安全保障上の理由をベースに世界各地で情報収集を行なっているということだ。

そして、日本については、過去の歴史的な経緯や現在の米中関係に起因する地政学的な緊張関係を鑑みると、両国のデータ収集対象国となっている可能性は極めて高い、と考えておくのが妥当であろう。

データを監視する能力としては、イギリスなどもかなり高いレベルを持ち、データ収集も行っている。現在、インターネット上のデータはそのほとんどが世界中に張り巡らされた光ファイバーケーブルで行き来している。

以前は、銅の通信ケーブルで電話などの通信はやりとりされていた。そこから盗聴すれば、通話の内容も盗み聞くことが可能で、そうした「シギント」(シグナル・インテリジェンス＝通信傍受・盗聴による情報収集)は、第二次大戦時から活発に行われていた。

そうして得た敵国の暗号情報を、優れた数学者などが解読していくのは、映画などでもたびたび題材になるので、読者のみなさんもイメージしやすいだろう。それをいまでは、最先端のテクノロジーを使って、インターネット上を行き交うデータなどを対象に行っているのである。

スパイ活動防止法は国際的には存在しない

勝手に海底ケーブルを流れる情報を傍受するのは犯罪ではないか、そもそも国際ルール違反でずるいのではないか、といった批判の声も聞こえてきそうだが、世界的に見れば、実情として、そんな批判はほとんどないと言える。

国家安全保障上必要がある場合は、他国に対して情報収集活動を行うことは、主権国家として当然のことである。もちろん世界的な人権団体などがそうした行為を問題視すべく注視しており、それはチェック機能として必要なことではあるが、ただそれが国家に対する抑止になっているとは言い難い現実が続いてきた。

現代のデジタルデータについても、「安全保障のため」という名目の下で、相当な量のデータが通信傍受の対象となっているのが実態である。

そもそも、国際的には他国に対するスパイ行為を禁止する条約は存在しない。よってアメリカはシギントを専門とするNSAが中心となってインターネット上での監視活動を繰り広げている。それがスノーデン氏の暴露で表面化して、世界各地の国家首脳や政治家らの通信が米国に傍受されていたとして非難の声が上がったのだった。

だが、他国政府による抗議は、一時的かつ、かなりトーンがコントロールされたものであった。通信傍受能力がある国同士では、「お互いさま」というところも少なからずあるわけだ。

日常の行動、趣味嗜好は丸裸に

中国ではいま、国内の大手ＩＴ企業への規制を行っている。

中国のサイバーセキュリティ法では匿名での通信を制限し、特定の通信を政府の意思で止めることもできるように定めている。

さらに、これはどこの国も同じであるが、独占禁止法などで大手企業の活動もコントロールしようとしている。

国家情報法という法律では、中国の情報機関に企業も個人も協力をする義務が課せられているため、企業などがもつデータも政府に吸い上げられることになる。いまや、中国の大手IT企業のもつ中国人のものをはじめとしたユーザーの個人情報は、中国政府のもつ情報よりも断然大きい。そうした情報も政府要人が自分たちの手の届くところに置いておきたいということだろう。

中国ではスマホ決済やオンラインショッピング、公共料金の支払いなどまで、すべてIT企業の作り上げたサービスで行われる。それらの情報には、個人の日常の活動履歴から趣味嗜好、政治的思想まですべてが含まれることになる。そしてそうしたデータは政府がなんとしても手に入れたい情報だと言える。

データは取れば取るほど、人の行動を予測できるようになるからだ。ビジネスなど経済活動にも活かせるし、インテリジェンスとして国家の安全保障や治安維持にも活かすことができる。

中国に赴任する日本のビジネスマン、中国IT企業の製品を使うユーザーのみならず、広く国民がそうしたリスクを承知しておく必要がある。

利便性とリスクが隣り合わせ

データを収集され続けると何が怖いのか。

「この人は何が好きなのか」「この人に何を売れば買ってくれるのか」という情報をオンラインのショッピングサイトやニュースサイトなどで集める。

ビジネスであれば、すべて好みを把握されていることは気持ち悪いが、まあ自分の嗜好に合わせたオススメ品が自動的に案内されるので、便利だから許せるという人もいるだろう。

だが、国により、国家安全保障上の目的で使われる可能性があると聞いたらどう思うか。

「人」を「国」に代えてみるとわかりやすい。ターゲットの国が、何をしたいのか、何を与えればなびいてくるのか、それを知るために徹底的にその国の国民のデータを集める。また、その国の人々に何かを信じさせたいと思えば、記事やＳＮＳなどを駆使して人々の行動を誘導することも可能になる。

さらには、

「この人たちはどんな報道を見ているのか」

「何を、誰を、情報源にしているのか」

を把握することも、相手を知る上では重要な要素になる。とくに検索履歴や閲覧履歴、そして通信履歴を見ればかなりはっきりとわかる。

ネット広告技術をベースにしたターゲット手法は世論操作などにも使えるわけだ。

このような目的で、あなたのデータが他国に収集され、あなたへのオススメとして特定の傾向の記事ばかり出てくるようになり、知らず知らずあなたの政治的な意見まで操作されてしまう——。そんな最悪の事態が起きかねないのが現代のデジタル社会である。民主主義的な社会を守るには、まず自分の情報をしっかりと守ることが重要になる。

ビッグデータに基づき、人々を特定の方向に誘導する。これは自分でも気が付いていない欲求をＡＩが見つけていることを意味する。ＡＩはこれまでのデータから、あなたの心を読んでいるのである。

そして、何か、決断をさせようとしている。

これは、人の考えに対する影響に他ならない。インターネットが普及してから、あっという間に、そんなことまでできる時代になったということだ。

国家であれば、自国が優位に立てるように、特定の国の個人や団体に関する情報を収集、または監視する。その対象が政府かマスコミ、企業なのかによって、切り口は変わるが、そうして集めた情報は、対外戦略を作るための基礎資料にもなるのである。

じつは昔から、スパイ機関などがインテリジェンス活動でそうしたデータを集めてはいた。昔は、首脳や高官らの会談などを盗聴したり、電話の通話をモニターすることによって、その国の方針などを知ろうとした。

それがいまでは、まさにインターネットを経由してデータを吸い上げることで、経済・社会活動、言論空間を含めて、何がこの国で起こっているのかを瞬時に知ることができる。

さらにそれをひっくり返すことも、流れを弱めることも、特定の人に特定の情報を与えることで可能となってきている。それを狙って、国によっては、国家が強引に、情報を社会の隅々から吸い上げている。

多種多様の、ありとあらゆるデータがあれば、データやＡＩによる分析の精度もさらに上がる。

いまではＧＡＦＡに代表されるような大手プラットフォーマー（データのインフラ事業

者）は巨大に、強大になりすぎて民主主義にとって脅威なのではないかという懸念が出てきた。

そのため、ヨーロッパではデータの扱いを厳しく規制するGDPR（EU一般データ保護規則）が制定され、アメリカでもGAFA規制の必要性が議論されている背景には、そうした国家を超えうる存在への牽制の意味がある。

最近、アップルやグーグルがウェブ上でのトラッキングに規制をかけてきたのはこのような不安や不満に対応したものに他ならない。

監視ソフトの威力

インターポール時代には、どんなアプリでもデータを監視できる「監視ソフト」についても注目していた。監視ソフトとはスパイウェアと呼ばれるもので、現在ではかなりの数の国で利用されている。

これまで政府機関自らが巨額の費用をかけて監視技術を開発してきたが、いまでは、民間が作ったシステムで同様の監視が可能になっている。この分野においては世界でも数社だけが、政府機関に限って監視ソフトを販売している。なお、サービスを提供している会社はどれも、公的機関以外には販売していないという。

私がインターポールにいる時、実際に、ある民間の監視ソフトのデモを見る機会があった。

そこでは、まずビデオが流され、「相手の頭の中をすべて覗く」といった具合でプレゼンテーションが行われる。

そして、スマホに入った電子メールからメッセージ、電話、写真、電話帳、通信履歴、検索履歴などすべてにアクセスが可能になる状態が画面に映し出される。つまり、ターゲットになった人の行動がすべて丸裸になるわけだ。

本当に、その人のすべてが見えるのである。脳に入り込むといったイメージだ。

それを可能にするサービスを提供しているのが民間企業であるというのが現実だ。いま広く知られているのは、イスラエルのＮＳＯグループという会社が販売する「ペガサス」や、イギリスのガンマ・グループが提供する「フィンフィッシャー」というシステムである。ただこれらは、数十ヵ国で利用されており、あまりに強力なスパイウェアなため、製造会社のある国の政府が、誰に販売するのかについての判断に影響力を持っていると言われている。

ＮＳＯのスパイウェアについては、米商務省産業安全保障局（ＢＩＳ）が、二〇二一年一一月に「エンティティリスト」（米製品輸出禁止対象企業一覧）に追加したことが発表されている。その事実からも、同社のシステムの実力がわかる。

グループや人的相関図も可視化

では、スパイウェアで集められた情報はどのように使われるのか。

もちろんメールやＳＮＳのやりとりが見られるのは当然のことながら、実際にデモを見て、コンテンツの重要性はもちろんだが、メタデータが非常に有効な情報なのだということだ。とくに情報機関にとっては、メタデータが重要な価値を持つ。

メタデータとは、さまざまなファイルなどの情報データ、つまり、メッセージ一つを例にすると、メッセージの内容よりも、いつ誰が誰とどういった通信手段で、どのくらいの時間やりとりをしたのか、という個人の通信活動に関わるデータのことである。

それによって、世の中に、どんな人たちのネットワークがあるのかを可視化できる。やりとりしている人たちの相関図ができ上がるというイメージである。

メタデータによる個人やグループのコミュニケーションや情報の往来のネットワークも

可視化できる。

最終的には、そこに諜報員などが現場で集めたヒューミント（人的インテリジェンス情報）を加えて、ターゲットなど、対象者のネットワークを把握しているのである。そのデータベースを見れば、誰が誰とつながって、いつ、誰と、どこで、何をしているのかが一目瞭然である。

5Gから6Gへ　利便性と行動の可視化は表裏一体

二〇一九年から、世界で本格的に導入が始まった5G（第五世代の移動通信システム）。新型コロナ禍で5Gの導入も話題性に欠けてはいるが、じつはIT業界はもう6Gに向かっている。

アメリカが二〇一八年に5Gを試験的にスタートさせた。そして翌二〇一九年の四月には、スマートフォンで使える5G通信サービスを、アメリカと韓国がスタートさせた。中国でも、同じ年の一一月から、中国移動と中国聯通、中国電信の三大通信事業者が5Gの通信サービスを開始している。

この5Gをめぐっては、中国のファーウェイが、5G通信機器を安価に販売してシェアを世界に広げたこともあって、通信インフラをめぐる米中の対立につながっていった経緯がある。

5Gは、通信中のやりとりの遅延が一ミリ秒（一〇〇〇分の一秒）以下になり、電話などでも声が届くのにタイムラグはなくなる。さらに、一平方キロメートルあたり、一〇〇万台の機器を同時に接続できる多接続が可能で、データ通信も安定し、電力消費量も低い。

そしてすでに5Gの次世代の通信規格（6G）について開発がはじまっているのだ。6Gは、5Gと比べて通信速度が一〇倍になるとされる。同時に接続できる機器も一〇倍になり、消費電力も一〇〇分の一に。

街中から身の回りのものまで何もかもがネットワークにシームレスに接続され、5G以上に早く、より多接続になると見られている。

もはや現実社会とデジタル空間の違いがなくなるだろう。そしてそれには、数多くのデジタル機器が使われ、すべてがデータ化される。要は、私たちの生活がデータによって作られていくのである。

そんなデータはどう使われるのか。

どんどんデータが集積され、それが分析され、可視化される。それによって、これまで人間の目には見えなかった大きな「流れ」が見えてくるようになる。すべて私たちの知らず知らずのうちに集められているデータがそれを支える。

新型コロナで、NTTドコモなどが街の人流予測をしていた。あの予測も、携帯電話の位置情報に基づいて統計値をとって出している。

そこには「個人情報保護」の観点はない。大事なのは民間のそうしたサービスで国の政策も左右されるようになるということだ。

ここまで見てきた最新のデジタル事情にはさまざまなキーワードが出てきた。スマホやパソコン、スマホ決済、IoT、5G――。こうした機器やシステムなどから集められたユーザーのデータは、すべて紐付けられていくと考えていい。

データが集まれば集まるほど、ユーザーのことを簡単に知ることができるようになる。

私たちの知らないうちに、私たちのデータがこの瞬間も、どんどん蓄積されているのである。

狙われるプラットフォーム企業

デジタルデータの時代は、国の覇権争いのスキームも変えた。武力をもって領土を取るという古典的な紛争から、サイバー空間で経済活動にかかわる技術をめぐる戦いに移ってきている。

いかに経済活動に必要な技術とはいえ、多くはデュアルユースで、軍事にもいつでも転用できるものであり、安全保障上も非常に重要なものだ。

民間の技術やデジタルデータが、軍事的にも利用できるような国家の安全保障にも影響を及ぼすようになってきている。

サイバーセキュリティ、5G、量子コンピューターなどは、すべてがデュアルユースである。

デュアルユースというと、私は、ワッセナー・アレンジメント（正式名称「通常兵器及び関連汎用品・技術の輸出管理に関するワッセナー・アレンジメント」）を学ぶために米国に留学したこともあるが、デジタル分野におけるデュアルユースの度合いは圧倒的に大きくなっていて、その安全性が担保できないと大変なことになる。

運用を誤れば、国家の安全保障に大きな悪影響を与えることになる。

民間技術が政府のスパイ活動に使われている――。それが現実で、世界では当たり前にそういうことが行われているのである。

たとえば、海底ケーブルはインターネットを構成している一翼だが、そこが狙われる。ケーブルが陸上のケーブルとつながるＩＸ（Internet Exchange）ポイントと呼ばれるところから、情報機関は情報を取っているとされる。

サイバー空間においても、ＩＸポイントのように情報が溜まるポイントがある。さらに、いまクラウドのサービスが盛んになっているが、クラウドのデータセンターも情報が集まるポイントである。

これらに加えて、ユーザーの情報が溜まる、デジタルプラットフォーム事業者という「ポイント」が存在する。

そういうポイントに関わっている企業は狙われる。

日本人、日本のビジネスマンは何を信じるべきか

データや情報が中国に抜かれるという話をすると、アメリカも情報は盗み見ていると反

論する人がいる。

中国もアメリカも、ハッキングなどで情報を監視しているではないか、中国だけを目の敵にして叩くのはいかがなものか、という議論だ。

いまの世界は、「デジタルツイン」だと言える。

つまり、実世界に私はいるが、デジタル空間上にも私は存在している。集められたデータからなる自分の分身が、オンライン上にもいる。

そこで、デジタル空間にいる人たち、つまり私たち自身のデータをどう統治していくのか、という課題が問われている。

国家安全保障の分野で、情報機関がデータにいろんな手段を使ってアクセスするのは当たり前のことだ。世界のどの国に行っても、国家の安全保障のために必要な情報がある場合には、全力を挙げてその情報を入手しようとするのは当然の行為である。見ないほうがおかしい。

そういう意味では、経済大国でありながら情報獲得を行わない日本は「安全保障ガラパゴス」な国だと言える。

また、収集したデータは国益が共通する国と共有することによってデータの価値が倍増する。

たとえば、アメリカとイギリス、カナダ、オーストラリア、ニュージーランドが情報活動で協力し合っているファイブ・アイズ（UKUSA協定）などはまさにそうである。五ヵ国が協力して情報活動を行っているのがその典形例だ。

そして絶対に必要なのは、機微なデータを保管している機器やソフトが、安全でなければいけない、ということだ。

だからこそ、同盟国家間をつなぐネットワークでは、価格ではなく、安全保障上、信頼できないものは排除しましょう、ということなのだ。そうした意識を、日本でも徹底して国内で共有できるようになれば理想的だろう。

では日本はどちら側に立つのですか、ということは考える必要がある。

そもそもデジタル空間は人工的に作られているものだ。サーバーやケーブル、ルーターなどの通信機器で整備されており、それをいかようにも、どこにでも増設できる（そうなれば誰にもデジタルデータがコントロールできなくなる）。

安全ではない機器を導入すると、私たちのデジタルセキュリティのレベルが下がる。

リアル空間で言えば、悪い人、少なくとも、泥棒の可能性が高いと思われている人を家の中に入れるようなことはしないだろう。

インターネット空間も本質的に同じだ。

デジタル社会のインフラとして公共空間化したネット空間は世界と常時つながり、個人ユーザーや企業だけでなく、国の情報機関を含む多くのアクターが存在している。

このネット空間にはいままで述べてきたデジタルセキュリティの世界的潮流や現実を踏まえて、個々の企業や、ましてや個人が到底負いきれないリスクを抱えてまで、踏み込むべきではない地域、分野があることをみなさんに知っていただけたなら、著者として望外の喜びである。

あとがき

現在、私はZホールディングス株式会社で常務執行役員／Group Chief Trust & Safety Officerを務めている。多くの読者にとってZホールディングスという企業名には馴染みがないものと思われるが、おそらく、ヤフージャパンやLINEの親会社といえばおわかりいただけるのではないだろうか。

私が担っている役割は、プライバシー保護対策、セキュリティ対策、社会・行政への説明責任を果たしていくことにより、Zホールディングスのグループ企業が社会・行政に信頼されるとともに、ユーザーが常に安心してサービスを利用できるような環境を整備することである。

デジタルサービスの利用に際して、ユーザーは個人情報や利用履歴など、自分のデータを企業に預けることになる。

そのため、データを適切に扱っているか、セキュリティは大丈夫かといったことが、サービス選択の上で極めて重要となる。

官民挙げてのＤＸ（デジタルトランスフォーメーション）が進む中で、私は民間の立場から我が国のデジタル化に伴うサイバーセキュリティの向上のために活動をしている。日本サイバー犯罪対策センター（ＪＣ３）理事やサイバーセキュリティ企業であるトレンドマイクロのアドバイザー（顧問）を務めているのは、そうした目的のためだ。

そこで日々、日本のデジタル経済社会におけるセキュリティの現状を目の当たりにする中で、グローバル化・デジタル化の観点から日本が置かれている実情について、広く知ってもらうべきだと思い、筆をとった。

デジタル社会は、データが主役になる社会メカニズムになっている。

実空間とネット空間（＝サイバー空間）が融合して相互に影響を与えるデジタル社会においては、自分で自分のデータを守らなければならないという意識を持つことが重要だ。そのための第一歩として、インターネット上のサービスを使う際に、どうやって自分のプライバシーを守るかを真剣に考える必要がある。

そして行動することが重要だ。

ただ、これだけでは十分ではない。

私は、長らく警察という組織でサイバー犯罪対策に従事してきた。そしてインターポールへ出向し、デジタル空間を取り巻く厳しい国際情勢と、その背後に存在する悪意あるサイバー犯罪・サイバー攻撃者と法執行機関との戦いの最前線を見てきた。

本書でも繰り返し述べたが、ネット空間では毎日おびただしい数の不正なアクセス等のサイバー攻撃が起こっている。そして、その中には一定数、国（他国政府）が支援しているものもある。

つまり、個人や企業がどんなに注意をして守りを固めても、国が背後にいる場合にはお手上げである。敵うわけがないので、政府による公助が必要になる。


本書ではサイバーやデジタル特有の難しい言葉を排して、わかりやすい表現を使うよう心掛けた。現在のグローバルなデジタル社会における日本の立ち位置について実情を知る一つの資料として、お手元においていただければ嬉しく思う。

ただ、そのぶんサイバー犯罪の現状やトレンドについての記述は最小限となってしまったところもあるので、これについては別途の機会にお伝えしたいと思う。

最後に書籍の刊行の機会をいただいた講談社の木原進治さんには、私の話をじっくりと聞いていただいたことに、心より御礼を申し上げたい。

ありがとうございました。

二〇二二年一月

中谷《なかたに》 昇《のぼる》

中谷 昇

1969年、神奈川県生まれ。1993年に警察庁入庁。神奈川県警察本部外事課長、国家公安委員会補佐官、インターポール(国際刑事警察機構)事務総局経済ハイテク犯罪課長、同情報システム・技術局長、INTERPOL Global Complex for Innovation(IGCI)初代総局長、警察庁長官官房国際課長等を歴任。2019年からヤフー執行役員。2020年からＺホールディングス常務執行役員、Group Chief Trust & Safety Officer。サイバー犯罪対策センター理事。

講談社＋α新書《プラスアルファ》 848-1 C

超入門《ちょうにゅうもん》 デジタルセキュリティ

中谷《なかたに》 昇《のぼる》 ©Noboru Nakatani 2022

2022年1月19日第1刷発行

発行者―――― **鈴木章一**

発行所―――― **株式会社 講談社**

東京都文京区音羽2-12-21 〒112-8001

電話 編集(03)5395-3522

販売(03)5395-4415

業務(03)5395-3615

デザイン―――― **鈴木成一デザイン室**

カバー・帯写真―― **アフロ**

カバー印刷―――― **共同印刷株式会社**

印刷―――― **株式会社新藤慶昌堂**

製本―――― **牧製本印刷株式会社**

KODANSHA

ISBN978-4-06-526753-0

講談社＋α新書

金正恩の核が北朝鮮を滅ぼす日
牧野愛博
格段に上がった脅威レベル、荒廃する社会。危険過ぎる隣人を裸にする、ソウル支局長の報告
924円 757-1 C

おどろきの金沢
秋元雄史
伝統対現代のバトル、金沢旦那衆の遊びっぷり。よそ者が10年住んでわかった、本当の魅力
946円 758-1 C

「ミヤネ屋」の秘密 大阪発の報道番組が全国人気になった理由
春川正明
なぜ、関西ローカルの報道番組が全国区人気になったのか。その躍進の秘訣を明らかにする
924円 759-1 C

一生モノの英語力を身につけるたったひとつの学習法
澤井康佑
「英語の達人」たちもこの道を通ってきた。読解から作文、会話まで。鉄板の学習法を紹介
924円 760-1 C

茨城 vs. 群馬 北関東死闘編
全国都道府県調査隊 編
都道府県魅力度調査で毎年、熾烈な最下位争いを繰りひろげてきた両者がついに激突する！
858円 761-1 C

ポピュリズムと欧州動乱 フランスはEU崩壊の引き金を引くのか
国末憲人
ポピュリズムの行方とは。反EUとロシアとの連携。ルペンの台頭が示すフランスと欧州の変質
946円 763-1 C

脂肪と疲労をためる ジェットコースター血糖の恐怖 人生が変わる一週間断糖プログラム
麻生れいみ
ねむけ、だるさ、肥満は「血糖値乱高下」が諸悪の根源！ 寿命も延びる血糖値ゆるやか食事法
924円 764-1 B

超高齢社会だから急成長する日本経済 ２０３０年にGDP７００兆円のニッポン
鈴木将之
旅行、グルメ、住宅…新高齢者は１０００兆円の金融資産を遣って逝く→高齢社会だから成長
924円 765-1 C

歯は治療してはいけない！ **あなたの人生を変える歯の新常識**
田北行宏
歯が健康なら生涯で３０００万円以上得!? 認知症や糖尿病も改善する実践的予防法を伝授！
924円 766-1 B

50歳からは「筋トレ」してはいけない 何歳でも動けるからだをつくる「骨呼吸エクササイズ」
勇﨑賀雄
人のからだの基本は筋肉ではなく骨。日常的に骨を鍛え若々しいからだを保つエクササイズ
968円 767-1 B

定年前にはじめる生前整理 人生後半が変わる4ステップ
古堅純子
「老後でいい！」と思ったら大間違い！ 今やると身も心もラクになる正しい生前整理の手順
880円 768-1 C

表示価格はすべて税込価格（税10%）です。価格は変更することがあります

講談社＋α新書

メンタルが強い人がやめた13の習慣	エイミー・モーリン 長澤あかね 訳	一番悪い習慣が、あなたの価値を決めている！最強の自分になるための新しい心の鍛え方	990円	818-1 A
メンタルが強い子どもに育てる13の習慣	エイミー・モーリン 長澤あかね 訳	子どもをダメにする悪い習慣を捨てれば、〝自分を律し、前向きに考えられる子〟が育つ！	1045円	818-2 A
人間関係が楽になる 神経の仕組み 脳幹リセットワーク	藤本靖	わりばしをくわえる、ティッシュを噛むなど、たったこれだけで芯からゆるむボディワーク	990円	819-1 B
もの忘れをこれ以上増やしたくない人が読む本 脳のゴミをためない習慣	松原英多	今一番読まれている脳活性化の本の著者が、「すぐできて続く」脳の老化予防習慣を伝授！	990円	820-1 B
全身美容外科医 道なき先にカネはある	高須克弥	「整形大国ニッポン」を逆張りといかがわしさで築き上げた男が成功哲学をすべて明かした！	968円	821-1 A
世界のスパイから喰いモノにされる日本 MI6、CIAの厳秘インテリジェンス	山田敏弘	世界100人のスパイに取材した著者だから書ける日本を襲うサイバー嫌がらせの恐るべき脅威！	968円	822-1 C
空気を読む脳	中野信子	日本人の「空気」を読む力を脳科学から読み解く。職場や学校での生きづらさが「強み」になる	946円	823-1 C
生贄探し 暴走する脳	中野信子 ヤマザキマリ	「世間の目」が恐ろしいのはなぜか。知っておきたい日本人の脳の特性と多様性のある生き方	968円	823-2 C
ソフトバンク崩壊の恐怖と農中・ゆうちょに迫る金融危機	黒川敦彦	巨大投資会社となったソフトバンク、農家の預金等108兆を運用する農中が抱える爆弾とは	924円	824-1 C
ソフトバンク「巨額赤字の結末」とメガバンク危機	黒川敦彦	コロナ危機でますます膨張する金融資本。崩壊のXデーはいつか。人気YouTuberが読み解く。	924円	824-2 C
次世代半導体素材GaNの挑戦 22世紀の世界を先導する日本の科学技術	天野浩	ノーベル賞から6年――日本発、21世紀最大の産業が出現する!! 産学共同で目指す日本復活	968円	825-1 C

表示価格はすべて税込価格（税10%）です。価格は変更することがあります

講談社＋α新書

会計が驚くほどわかる魔法の10フレーズ
前田順一郎
この10フレーズを覚えるだけで会計がわかる！「超一流」がこっそり教える最短距離の勉強法
990円 826-1 C

激変資本主義1990―2020、経営者も投資家もここまで変わった
ESG思考
夫馬賢治
世界のマネー3000兆円はなぜ本気で温暖化対策に動き出したのか？ 話題のESG入門
968円 827-1 C

超入門カーボンニュートラル
夫馬賢治
カーボンニュートラルから新たな資本主義が誕生する。第一人者による脱炭素社会の基礎知識
946円 827-2 C

内向型人間が無理せず幸せになる唯一の方法
スーザン・ケイン 古草秀子 訳
成功する人は外向型という常識を覆した全米ミリオンセラー。孤独を愛する人に女神は微笑む
990円 828-1 A

トヨタ チーフエンジニアの仕事
北川尚人
GAFAも手本にするトヨタの製品開発システム。その司令塔の仕事と資質を明らかにする
968円 829-1 C

元経済ヤクザが明かす「アフター・コロナ」を生き抜く黒いマネーの流儀
ダークサイド投資術
猫組長(菅原潮)
恐慌と戦争の暗黒時代にも揺るがない「王道の投資」を、元経済ヤクザが緊急指南！
968円 830-1 C

元経済ヤクザが明かす「黒い経済」のニューノーマル
カルト化するマネーの新世界
猫組長(菅原潮)
投資の常識が大崩壊した新型コロナ時代に、元経済ヤクザが放つ「本物の資産形成入門」
968円 830-2 C

シリコンバレーの金儲け
海部美知
「ソフトウェアが世界を食べる」時代の金儲けの法則を、中心地のシリコンバレーから学ぶ
968円 831-1 C

5000人を診てわかったほんとうの話
認知症の人が「さっきも言ったでしょ」と言われて怒る理由
木之下徹
認知症一〇〇〇万人時代。「認知症＝絶望」ではない。「よりよく」生きるための第一歩
968円 832-1 B

最強の睡眠に変える食習慣
成功する人ほどよく寝ている
前野博之
記憶力低下からうつやがんまで、睡眠負債のリスクを毎日の食事で改善する初のメソッド！
990円 833-1 B

健康本200冊を読み倒し、自身で人体実験してわかった
食事法の最適解
国府田淳
これが結論！ ビジネスでパフォーマンスを240％上げる食べ物・飲み物・その摂り方
990円 834-1 B

表示価格はすべて税込価格（税10％）です。価格は変更することがあります